Валерий Дуров *Valery Durov*

ОРДЕНА РОССИИ *THE ORDERS OF RUSSIA*

В. А. ДУРОВ

ОРДЕНА РОССИИ

V. A. DUROV

THE ORDERS OF RUSSIA

Москва
ВОСКРЕСЕНЬЕ
1993

ББК 63.2
Д79

Перевод на английский М. И. Кварцхава
Художник В. Ф. Горелов

Translated from the Russian by
Margarita Kvartskhava
Illustrated by V. F. Gorelov

Альбом издан при содействии правительства
Российской Федерации

Produced with 'the assistance of the Gavernment
of the Russian Federation

Д79
Дуров В. А.
Ордена России. — М.: «Воскресенье»,
1993. — 160 с.: ил.
ISBN 5—88528—019—3
Награды Отечества — золотая струна нашей духовной культуры. Она звучит призывно и вдохновляюще. Традиция поощрения лучших качеств гражданина всегда находила живой отклик у всех поколений. Ордена и медали носили с гордостью как свидетельство верного служения народу.

Эта книга — о «старых» российских наградах, их значении в укреплении высокой духовности общества.

Durov V. A.
The orders of Russia. — M.: «Voskresenie»,
1993. — 160 p.: ill.
Russian orders of merit are a golden string in national culture. When plucked, it sounds a call of inspiration. The custom of rewarding a citizen's sterling qualities has always met with the warmest response throughout generations. Medals and orders of merit were proudly worn as a mark of one's faithful service to the nation.

The book tells the story of «old» Russian awards and their place in society's spiritual progress.

Д $\dfrac{0502000000—019}{К56(03)—93}$

ББК 63.2

ISBN 5—88528—019—3

ВВЕДЕНИЕ

Известие о выдаче особого знака отличия, предназначенного для ношения награжденным, относится к 1100 году. В рассказе об отражении набега половцев на Киев при Владимире Мономахе (древний летописец ошибочно относит это событие ко времени правления Владимира Святославича, ровно на столетие раньше) упоминается Александр Попович — будущий герой русских былин Алеша Попович, отличившийся в битве и награжденный за это самим князем Владимиром золотой гривной — массивным золотым обручем, который носили на шее.

В дальнейшем на Руси постепенно создается довольно сложная система пожалований и наград за отличия военные и гражданские перед государством и лично государем. Кроме земельных и денежных выдач были и пожалования оружием, шубами и кафтанами, различными драгоценными вещами — ковшами, кубками. В 30-е годы XVII века на части жалуемых предметов появляются надписи, рассказывающие о том, кто, когда и за что получил награду. Впрочем, само слово «награда» укоренилось в нашем понимании позднее, в XVIII столетии. До этого употреблялся термин «пожалование».

В XV веке известны случаи изготовления и выдачи особых наградных знаков — «золотых», различного размера и веса в зависимости от заслуг и положения награждаемого. Получение награды в виде «золотого» становится все более символическим актом. Неизмеримо возрастает его моральное значение. Награду носят на одежде, публично демонстрируя свои заслуги перед государством и его правителем.

Любопытное свидетельство оставил английский дипломат Д. Флетчер, бывший в 1588—89 годах послом в России. В своем сочинении «О государстве Российском», опубликованном в 1591 году, он пишет: «Тому, кто отличится храбростью перед другими или окажет какую-либо особенную услугу, царь посылает золотой с изображением св. Георгия на коне, который

INTRODUCTION

The first mention of special insignia worn by people who had in some way distinguished themselves was made in a Russian chronicle of 1100. It tells the story of an attack by Polovtsy nomads (Cumans) on Kiev being repulsed under Vladimir II Monomakh (the venerable chronicler mistakenly referred the event to the reign of Vladimir the Saint, exactly a hundred years too early). Among the heroes of the battle is named one Alexander Popovich, who was later to become the Alesha Popovich of the Russian folk epic. His valiant fighting was noted by Prince Vladimir who, to mark the man down, gave him a gold grivna — a massive ring of solid gold to be worn around the neck.

Over the next centuries, there had evolved in Russia a fairly complex system of awards in recognition of merit in battle or in civilian life, or else of meritorious services to the Crown and country. Worthy citizens were made a gift of land and money, or, for lesser feats, of arms, fur coats, gold and silver goblets, dippers, etc. Around the 1630s, token gifts are beginning to bear inscriptions telling who, why and when was granted the award. Incidentally, the word itself did not get established in the language till much later, in the 18th century. Previously, they spoke of «bestowing» something on a person.

In the 15th century were recorded the first instances of specially made tokens — «gold pieces» — of varying sizes and weight being awarded, depending on the status and merit of the recipient. It was a genteel practice that, with time, assumed an increasingly symbolic character. The actual value of the object meant far less to the person thus distinguished than its moral significance. Awards were worn on the dress, to announce to the world the owner's merit.

According to British diplomat G. Fletcher, Ambassador to Russia in 1588 to 1589, who left an interesting record of the custom in his book on the Russian state published in 1591, to him who was brave before all others, or rendered some especial service, the Tsar sent a gold piece with St. George on horseback, to be worn on the sleeve or the hat, and this

носят на рукавах или шапке, и это почитается самою большою честью, какую только можно получить за какую бы то ни было услугу».

Иногда награждения «золотыми» — прообразами будущих медалей и орденов — носили массовый характер. Так, в связи с воссоединением в 1654 году Украины с Россией в войска Богдана Хмельницкого было послано более 70 тысяч таких знаков отличия различного достоинства.

Традиция выдачи «золотых» продолжалась до конца XVII века и в несколько измененной форме сохранилась еще в первые годы XVIII столетия. В 1702 году появляется первая наградная медаль в нашем, современном, значении этого слова. Ее выдали за взятие шведской крепости Нотебург, переименованной Петром в Шлиссельбург. На медали, чеканившейся из золота и предназначавшейся для ношения на одежде, на лицевой стороне изображен ставший в дальнейшем традиционным портрет государя, а на оборотной — изображена сцена штурма Нотебурга и помещена довольно пространная надпись, рассказывающая о событии, за которое выдана награда. С этого момента изготовление и выдача наградных медалей не прерывались.

* * *

Латинское слово «ордо» — значит «организация», «отряд». Оно послужило в эпоху крестовых походов на Востоке названием полувоенным-полумонашеским организациям, члены которых наряду с благотворительностью (заботой о христианах-паломниках ко Гробу Господню) активно участвовали в сражениях с «неверными». Такой организацией, т. е. орденом, был, например, орден св. Иоанна Иерусалимского (позднее получивший также наименование Мальтийского), первоначально возникший как братство монахов, содержавших в Иерусалиме странноприимный дом с больницей для пилигримов, отчего появилось еще одно название ордена — «госпитальеры». Монахи ордена носили длинную черную одежду с нашитым на ней особой формы белым крестом.

После крестовых походов довольно многочисленные ордена осели в Европе.

was deemed the greatest honour to be had for whatever service.

There were occasional bouts of mass conferment of «gold pieces» — precursors of the medals and orders of later centuries. Thus, to commemorate the unification of Russia and Ukraine in 1645, a consignment of 70,000 such badges of honour, from the highest to the lowest, was sent to the army of Bogdan Khmelnitsky.

The custom of giving «gold pieces» survived into the late 1600s, and its slightly modified version was still practised in the early 18th century. The first medal, in the modern sense of the word, appeared in 1702. It was given to the best fighters in the battle for the Swedish fortress of Noteburg, later re-christened Schliesselburg by Peter the Great. The medal, made of gold and designed for wearing on the dress, had the Emperor's face stamped on the head side (the image that was later to become a model likeness), and the scene of storming Noteburg on the other side, which also contained a somewhat wordy account of the event the medal commemorated. Since then, the «award-making industry» has never looked back.

* * *

«Ordo» in Latin means «a team» or «an organisation». At the time of the Crusades, it was used to name organisations, half-military, half monastic, whose members, along with charity (ministering to Christian pilgrims who visited the Holy Sepulchre), took an active part in the fighting against the «infidels». One such organisation, for example, was the Order of the Knights of St. John of Jerusalem (later also styled the Order of Malta). Originally, it was a monastic brotherhood of hospitallers in Jerusalem (so called because their duty was to provide «hospitium» — lodging and entertainment — for pilgrims). The monks wore long black robes with a white Maltese cross sewn on.

Later, when the Crusades had ended, and the numerous orders returned to Europe, they sought the patronage of European monarchs, being predominantly military people and serving the ruler of their choice as faithful warriors. Now the Sovereign, as the head of the Order, could himself admit to its ranks various individuals who had rendered valuable services

Считавшие военное дело своей основной профессией, они стали искать покровительства европейских монархов, «отдавая свой меч» на службу одному из них. Теперь суверен как глава ордена мог сам посвящать в его члены отдельных лиц, имевших заслуги лично перед ним. Члены ордена продолжали носить особую одежду, основным элементом которой был нашитый на нее крест определенной формы. Постепенно крест стал металлическим, как правило, богато украшенным знаком, который носили на ленте или на цепи. Рядом появилась звезда, первоначально также нашивавшаяся на одежду, а уже в XIX столетии замененная металлической. Образовалось понятие «знаки ордена», включавшее в себя крест (собственно знак) и звезду. Вступление в орден давало право ношения этих знаков.

to him. Members of the Order wore special dress decorated with a cross of a stated shape. Eventually, the sewn-on cross was replaced with its metal replica, richly ornamented as a rule, that was worn on a ribbon or chain round the neck. Soon it was complemented with a star, at first also sewn on, but later, in the 19th century, made of metal. The phrase to describe this set of decorations was «the insignia of the Order» which included the cross (as the centrepiece) and the star. Anyone made member of the Order received the right to wear the relevant insignia.

Наградной портрет Петра I. Лицевая и оборотная стороны. Начало XVIII в. ГИМ.

Presentation enamel portrait of Peter the Great. Obverse and reverse. Early 18th century.

ОРДЕН

СВ. АНДРЕЯ

ПЕРВОЗВАННОГО

THE ORDER

OF ST. ANDREW

THE FIRST-CALLED

20 марта 1699 года секретарь австрийского посольства в России Иоанн Георг Корб записал в своем дневнике: «Его Царское Величество учредил кавалерский орден св. Андрея Апостола». Это самое раннее известное упоминание первого российского ордена. Здесь же Корб добавляет: «Его Царское Величество пожаловал боярина Головина первым кавалером этого ордена и дал ему знак оного. Боярин сегодня же вечером показывал этот орден г. императорскому посланнику (послу австрийского государя Леопольда I, главы Священной Римской империи.— В. Д.) и рассказывал ему содержание Устава». Практически все достоверно известные нам современные сведения об учреждении ордена св. Андрея и ограничиваются этой дневниковой записью.

Первый российский орден имел как основной элемент собственно «знак» — покрытый синей эмалью крест особой формы в виде буквы «X», на котором, по преданию, был распят св. Андрей (Андреевский крест), с изображением фигуры самого святого. Этот крест носили на широкой голубой ленте через правое плечо, а в торжественных случаях — на золотой, покрытой разноцветными эмалями цепи на груди.

Орден включал звезду, первоначально шитую, имевшую восемь лучей, с круглым центральным медальоном, в котором также помещалось изображение Андреевского креста (замененное при Павле на двуглавого орла). По кругу шла надпись — девиз ордена «За веру и верность». Эта надпись отмечает заслуги, за которые вручалась награда. В самом раннем проекте устава ордена св. Андрея, составленном при непосредственном участии Петра Великого в 1720 году, говорится, кому и за что должна выдаваться эта награда: «...в воздаяние и награждение одним за верность, храбрость и разные нам и отечеству оказанные заслуги, а другим для ободрения ко всяким благородным и геройским добродетелям; ибо ничто столько не поощряет и не воспламеняет человеческого любочестия и славолюбия, как явственные знаки и видимое за добродетель воздаяние».

В проекте устава есть особая глава «О кавалерах». В ней говорится о том, какие требования предъявляются к

On March 20, 1699, the Secretary of the Austrian Embassy in Russia, Johann Georg Korb, made the following entry, the earliest mention of the first Russian order, in his diary: «His Majesty the Tsar conferred the title of the first holder of this Order on nobleman Golovin and gave the latter a sign thereof. The nobleman showed the Order this very evening to Mr. Imperial Ambassador (i. e., Ambassador of the Austrian King Leopold I, Head of the Holy Roman Empire — V. D.), and acquainted him with the contents of the Statute.» This brief diary entry appears to be the only known piece of information, given by a contemporary, about the founding of the Order of St. Andrew the First-Called.

The first of the Russian Orders had, as its main feature, the «mark» proper — an X-shaped cross of blue enamel, in imitation of the cross on which St. Andrew is said to have been crucified, with the Saint's figure on it. The Cross was fixed on a broad, sky-blue ribbon worn over the right shoulder, except for ceremonial occasions, when the Cross was to be worn on the breast, suspended from a gold chain decorated with multi-coloured enamel.

The Order included an eight-point star, originally embroidered, with a round medallion in the centre that also had the St. Andrew Cross on it (replaced by a two-headed eagle under the Emperor Paul). The Cross was surrounded by a circlet bearing the motto «For Faith and Loyalty». The inscription sums up the qualities the Order was intended in reward of.

The earliest known version of the Statute of the Order of St. Andrew, written with the personal participation of Peter the Great in 1720, so defines the terms of conferring the honour: «...Given as a reward and tribute to some for loyalty, courage and all manner of meritorious services rendered to Our person and country, and to others to inspire them to noble and heroic virtues; for few things can be better at fostering honourable ambition in men than a visible mark and reward of virtue.»

The same version of the Statute has an article entitled «On the Bearers of the Order» which lists requirements to a prospective holder of the award. He must have the title of Prince or Count, the rank of Senator, Minister or Ambassador, or any other similar position of «high merit», or else be a General or an

Памятная медаль на
учреждение ордена
св. Андрея
Первозванного.

Medal in
commemoration of the
institution of the
Order of St. Andrew
the First-Called.

Портрет императора
Петра I. Гравюра.

Portrait of the
Emperor Peter the
Great. An engraving.

ПЕТРЪ ВЕЛИКИЙ   PETRUS MAGNUS

Звезда ордена
св. Андрея
Первозванного,
принадлежавшая
Я.В.Брюсу. Награда
получена за отличие
при Полтаве в
1709 году.

Star of the Order of
St. Andrew. owned by
Yakov V. Bruce. The
award was received
for gallantry in the
Battle of Poltava in
1709.

Медаль в память
Ф. А. Головина,
первого кавалера
ордена св. Андрея
Первозванного.

Орден св. Андрея
Первозванного.
Звезда и знак ордена
(крест) на цепи.

Medal in honour of
Fedor A. Golovin, the
first holder of the
Order of St. Andrew.

The Order of St.
Andrew. Star and
badge (cross) on a
chain.

Полковой нагрудный
знак лейб-гвардии
Преображенского
полка.

Regimental chest
badge of the
Preobrazhensky Life
Guards Regiment.

Полковой нагрудный
знак лейб-гвардии
Московского полка.

Regimental chest
badge of the
Moskovsky Life
Guards Regiment.

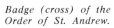

Звезда ордена
св. Андрея
Первозванного.

Star of the Order of
St. Andrew.

Знак (крест) ордена
св. Андрея
Первозванного.

Badge (cross) of the
Order of St. Andrew.

кандидатам в кавалеры этого ордена. Они должны иметь графский или княжеский титул, звание сенатора, министра, посла «и прочих высоких достоинств», либо генеральский или адмиральский чин. Орден могли получить также и губернаторы, которые «несколько лет, а по меньшей мере десять, оказали полезные и верные услуги». Кроме того, непременным условием были отсутствие у кавалера телесных недостатков, возраст не менее 25 лет и наличие состояния, необходимого для того, чтобы «важность сего события поддержать».

Кавалерами ордена могли стать также иностранцы, причем к ним предъявлялись те же требования, что и к русским кандидатам.

Одновременно кавалерами ордена св. Андрея могло быть не более 12 человек «природных российских кавалеров». Это условие на протяжении всего царствования Петра тщательно соблюдалось. Лишь в 1719 году число русских кавалеров ордена равнялось двенадцати (в их число не включались иностранцы, находившиеся на русской службе), в остальные годы их было меньше. Общее число кавалеров ордена (русских и иностранных) не должно было превышать двадцати четырех.

Федор Алексеевич Головин стал первым кавалером ордена. Будучи одним из ближайших соратников Петра, он даже среди них, людей незаурядных, выделялся глубоким умом и выдающимися военными и дипломатическими способностями. Именно Головин заключил в 1689 году Нерчинский трактат — о границе Российского государства с Китаем. Во время первого заграничного путешествия Петра, в 1697 году, он был занят организацией морского дела в России: приглашал иностранных офицеров и мастеров, закупал необходимые для строительства флота материалы, отправлял за границу русских учеников. По возвращении в отечество стал в 1698 году во главе только что созданного «Приказа Воинских морских дел». Одновременно, что несколько необычно даже для бурного петровского времени, он заведовал и Посольским приказом. Скончался Головин в 1706 году, имея высшее военно-морское звание генерал-адмирала (кроме него, за всю дореволюционную историю государства было еще только шестеро, заслуживших этот чин) и сухопутное — генерал-фельдмаршала.

Admiral. Other people entitled to the honour were Governors who, «for several years, and no less than ten, had been rendering useful and loyal services». Besides, a candidate had to be ablebodied, no younger than twenty-five, and possess sufficient means to «maintain in kind the importance of the event».

A foreigner could likewise be awarded the Order of St. Andrew, if he conformed to the requirements set for Russian citizens.

There could not be more than twelve «native Russian bearers» of the Order at any one time. This condition was religiously observed throughout the reign of Peter the Great. Only once, in 1719, did the number of Russian Order bearers reach twelve (not counting the foreigners in the Russian service); at all other times there were fewer of them. The total number of Russian and foreign Order bearers had been fixed at twenty-four.

There appear to have been excellent reasons for picking out Fedor Alexeevich Golovin as the first bearer of the Order of St. Andrew. One of the Emperor's closer associates, even among others similarly favoured — and none of them a mediocrity — he stood apart as a person of vast intellect and a singularly gifted officer and diplomat. It was Golovin who signed in 1689 the pact known as the Nerchinsk Treaty, setting the border between the Russian state and China. At the time of Peter the First's trip abroad in 1697, he was industriously «laying the keel» of the Russian Navy — recruiting foreign naval officers and craftsmen, purchasing ship-building materials, arranging for capable Russian youths to be sent abroad to be educated there. Back home, in 1698, he headed the freshly set up Department of Naval Affairs. That high office he combined with an identical post at the Ambassadorial Department — a kind of versatility unusual even for the hectic time of Peter the Great. Golovin died in 1706, in the rank of Admiral-General — the highest naval rank in Russia (there had been only six other persons of that rank in the history of imperial Russia), and also Field Marshal — its ground force equivalent.

The second holder of the Order was the Cossack Hetman Mazepa who received it from Peter the Great on February 8, 1700. After the news of Mazepa's treason, the following ritual was performed, by the order of the irate monarch: according to the Journal of Peter the

Вторым кавалером ордена стал гетман И. С. Мазепа, получивший его 8 февраля 1700 года из рук самого Петра. После известия об измене Мазепы по приказу рассерженного царя была проведена следующая акция: 9 ноября 1708 года, как сообщает «Журнал Петра Великого», «...персону (манекен.— В. Д.) оного изменника Мазепы вынесли и, сняв кавалерию (знаки ордена.— В. Д.), которая на ту персону была надета с бантом, оную персону бросили в палаческие руки, которую палач взял и прицепил за веревку, тащил по улице и по площади даже до виселицы и потом повесил». Мазепе удалось уйти от заслуженного наказания за предательство, и дело ограничилось лишь повешением манекена изменника. Не дождалась его и специально изготовленная по приказу Петра «награда» — огромная медаль весом в двенадцать фунтов с изображением Иуды и надписью: «Треклят сын погибельный Иуда, еже за сребролюбие давится».

Остальные 38 кавлеров этого ордена, пожалованные в царствование Петра (в том числе получивший эту награду тайно, за симпатии к России, валашский господарь Константин Брынковяну, который не был внесен даже в официальные списки награжденных), оказались более достойными этого знака отличия. Сам Петр был отмечен орденом св. Андрея седьмым, в 1703 году, за конкретный военный успех — руководство взятием двух шведских боевых судов в устье Невы. Знаки ордена на царя, имевшего официальный военный чин капитана бомбардирской роты, возложил первый андреевский кавалер Федор Головин. Одновременно такую же награду за участие в этом бою получил А. Д. Меньшиков, бывший бомбардирским поручиком.

В дальнейшем, до царствования Павла I, кавалерами ордена св. Андрея стал еще 231 человек. Среди них такие выдающиеся отечественные полководцы, как П. А. Румянцев, А. В. Суворов, государственные деятели Ф. М. Апраксин, Г. А. Потемкин.

Император Павел I в день своего коронования, 5 апреля 1797 года, подписал особое Установление, являющееся первым по времени официально утвержденным статусом ордена Андрея Первозванного. В числе прочих конкретных положений, касающихся

Great, on November 9, 1708 «...The effigy of the said traitor, Mazepa, was taken outside, stripped of the Order insignia it was wearing, with the bow, and thrown into the arms of a hangman; which hangman took the effigy and tied it to a rope, and dragged that along the street and even to the gallows, and hanged it thereupon.» Mazepa had escaped well-earned punishment for his crime, so nothing was done beyond hanging the traitor's dummy. Nor did he ever materialise to receive the specially manufactured «prize» ordered by Peter the Great — a mammoth medal weighing all of twelve pounds, with the representation of Judas and an inscription that ran: «May this thrice accursed Judas of a villain be choked for his love of lucre!»

The other thirty-eight men awarded the Order of St. Andrew in the reign of Peter the Great (including the Walachian ruler, Constantine Brincoveanu, who had been decorated clandestinely, for his liking of Russia, so that even his name was not on the official list of recipients) proved to be far more worthy of the honour. The Emperor himself was the seventh person to receive the award, in 1703, for a succesful military operation, when he supervised the capture of two Swedish battleships in the Neva estuary. The man who had put the Order insignia on the Tsar, with his official military rank of a bombardier company Captain, was the first holder of the Order of St. Andrew, Fedor Golovin. The Tsar shared the honour with Alexander Menshikov, decorated for his part in the same battle, and the monarch's second-in-command in terms of military ranks.

After that, till the accession of the Emperor Paul, 231 more people became bearers of the award, among them some of Russia's most outstanding military leaders (Piotr Rumiantsev and Alexander Suvorov) and statesmen (Fedor Apraksin and Grigory Potemkin).

The Emperor Paul signed on April 5, 1797, his Coronation Day, a special decree which was, in fact, the first official document to confirm the status of the Order of St. Andrew. Among other matters pertaining to the Order, there was a detailed description of the dress Order bearers were required to wear at court on November 30, the Saint's day, and on other days named by the Emperor: a long cloak of green velvet with silver cord and tassels, and the Star of the Order, «larger

орденских дел, было дано подробное описание особого орденского костюма для Андреевских кавалеров, в котором они должны были являться ко двору в день орденского праздника, 30 ноября, и в другие указанные самим императором дни: длинная зеленая бархатная епанча, украшенная серебряными шнурами и кистями, с нашитой на левой стороне звездой ордена размером «более обыкновенной», белый суперверст с золотым галуном и бахромою и с нашитым на груди крестом, черная шляпа из бархата с бело-красным плюмажем и с Андреевским крестом из узкой голубой ленты. Естественно, кавалер в торжественный день должен был являться со знаком ордена св. Андрея не на плечевой ленте, а на золотой цепи с эмалью.

Начиная с павловского времени кавалерам запрещалось самовольно украшать свои знаки драгоценными камнями, и крест со звездой, осыпанные бриллиантами (алмазами), стали как бы особой, высшей ступенью ордена, жалуемой исключительно по личному усмотрению императора.

Павел начал жаловать орденами, в том числе и Андрея Первозванного, лиц духовного звания. Первым таким Андреевским кавалером стал в ноябре 1796 года митрополит Новгородский и Санкт-Петербургский Гавриил. Узаконено было Павлом и награждение всех без исключения младенцев мужского пола — великих князей — орденом Андрея при крещении, а князей императорской крови — по достижении ими совершеннолетия.

Двенадцать старших по времени награждения орденом св. Андрея кавалеров получали командорства, связанные с дополнительными доходами: три командорства по 1000 душ крепостных каждое, четыре — по 800 душ, пять — по 700 душ. В каждой из этих трех групп одно командорство давалось причисленному к этому ордену лицу духовному. Эти пожалования были пожизненными и после смерти кавалера переходили к следующему по старшинству обладателю награды.

При Александре I Андреевские кавалеры при пожаловании орденом стали вносить в кассу ордена по 800 рублей. В этот период, ставший одной из самых славных страниц отечественной истории благодаря всенародному подвигу в 1812 году, резко

than usual», sewn onto the left side; a white vest with gold-lace trimming and fringe, and with the Cross sewn on the breast; a black velvet hat with a white-and-red plume and the St. Andrew Cross of narrow blue ribbon. And, of course, on those special occasions the Order was to be worn on the gold-and-enamel chain, instead of the usual shoulder ribbon.

From the time of Paul I, Order bearers were not to add jewels, according to their fancy, to the Order insignia, so that the diamond-encrusted cross and star had come to be looked upon as the higher form of the Order granted by the Emperor at will.

Paul I started the practice of conferring the Order of St. Andrew and other orders on the clergy. The first such Order bearer was the Mitropolitun of Novgorod and St. Petersburg, Gavriil, who was decorated in November 1796. The Emperor also decreed thet all sons and grandsons of the Monarch be given the Order at christening, and other male members of the Royal family — upon coming of age.

The first twelve holders of the Order of St. Andrew were made Knights Commander which entitled the three oldest Order bearers to 1,000 serfs, the next four to 800, and the remaining five — to 700. One knighthood in each group was reserved for a clerical contender. The honour was given for life and, with the death of the person, was conferred on the Order bearer next to him in seniority.

Under Alexander I, holders of the Order of St. Andrew were required to pay 800 rubles into the Order fund as soon as they had been decorated. That was the time of glory for Russia, with the epic victory of 1812, and so the number of awards went up steeply, particularly of those given as military orders of merit. In 1812 to 1814, eight people became recipients of the Order; one of them — L. Bennigsen — had been given the diamond variety. All Order holders had the rank of full General. Though nominally the Order of St. Andrew implied membership of the third class, equivalent to Lieutenant-General, according to the Russian Table of Ranks, in actual fact one had virtually no hope at the time of becoming an Order bearer, unless he was a full General.

One more person granted the honour at the time of the Napoleonic wars, in 1807, was

возросло число выдаваемых наград, особенно за боевые заслуги. Только за отличия в 1812—1814 гг. орден св. Андрея получили восемь человек, в том числе один, Л. Л. Беннигсен,— с бриллиантовыми украшениями. Все награжденные орденом имели чин полного генерала. Хотя формально получивший это отличие становился «особой» третьего класса, что по Табели о рангах соответствовало генерал-летенантскому званию, фактически в это время Андреевским кавалером мог надеяться стать лишь полный генерал.

К периоду наполеоновских войн относится еще один случай пожалования орденом св. Андрея. В 1807 году его был удостоен сам Наполеон. По случаю ратификации Тильзитского мира между Россией и Францией (а также Францией и Пруссией) знаки высшего российского ордена получили французский император, его брат Жером, маршалы Бертье и Мюрат, а также известный мастер дипломатической интриги князь Талейран. В 1815 году к иностранцам, имевшим орден св. Андрея, число которых было довольно значительно, прибавился знаменитый английский полководец герцог Веллингтон.

С 1801 по 1916 год было около 600 награждений. За это время в облике знаков ордена произошли изменения. Примерно со времени Отечественной войны 1812 года появляются звезды из серебра. К середине XIX века металлические звезды полностью вытеснили матерчатые.

До 1855 года знаки ордена св. Андрея Первозванного за военные заслуги ничем внешне не отличались от знаков за заслуги гражданские. Позднее к боевой награде стали добавлять скрещенные мечи.

После Февральской революции Временное правительство, оставив наградную систему империи в сущности прежней, внесло лишь некоторые «косметические» изменения во внешний вид орденов в соответствии с духом республиканского строя, убрав некоторые монархические символы. На ордене св. Андрея с креста было решено снять короны, а царского орла в центральном круглом медальоне заменить новым, республиканским орлом, уже без корон, по эскизу, сделанному известным художником И. Билибиным. Но награждений высшим российским орденом в 1917 году не

Napoleon Bonaparte himself. When the Tilsit Peace Treaty between Russia and France (and between France and Prussia) had been ratified, the chief Order of the Russian Empire was awarded to the French Emperor, his brother Jérome, Marshals Berthier and Murat, and also to the supreme master of diplomatic scheming, Taleyrand-Périgord. In 1815, to the original list of the foreign bearers of the Order of St. Andrew, already considerable, was added the name of the famous Briton — the Duke of Wellington.

Between 1801 and 1916, about 600 people had been decorated with the Order of St. Andrew. Over the same period, the insignia of the Order had undergone some transformation. Roughly from the time of Russia's war with Napoleon in 1812, stars were occasionally made of silver. By the mid — 1800s, cloth stars had gone out completely, replaced by silver ones.

Until 1855, the military Order of St. Andrew was identical to its civilian counterpart. Later the former differed from the latter in having two crossed swords.

The Provisional Government of 1917 left the imperial award system basically intact, apart from a few minor alterations to suit the appearance of the Order to the republican idea. Thus it was decided that the Cross of St. Andrew ought to be deprived of its crowns, while the imperial eagle inside the medallion should yield its place to a new, uncrowned, bird designed by a well-known Russian artist of the time, Ivan Bilibin. However, no one was given the highest Order of Russia in 1917, and so no modified specimens of the Order insignia had been made, not even as trial pieces.

The elements of the chief Order in pre-1917 Russia were part of the military insignia, in a sense. The Star of St. Andrew had become a symbol of the Guards and was worn on Guards' caps, on cartridge bags, on Cavalry Guards' vests and even on the horses' under-saddle blankets.

In the late 19th and the early 20th century, most Russian Army regiments were celebrating their 100th, 150th, etc., anniversaries. The occasion was commemorated, as a rule, by the introduction of special regimental badges, worn by all regiment members on their uniform. The design had to be approved by the Tsar or the War Minister,

было, и Андреевских знаков этого типа, даже пробных, мы не знаем.

Знаки высшего ордена стали в дореволюционной России частью воинской символики. Андреевская звезда была в военной атрибутике своеобразным символом гвардии и украшала гвардейские головные уборы, а также лядунки — сумки для патронов, супервесты у кавалергардов тяжелой гвардейской кавалерии и даже чепраки — суконные подстилки под седло.

В конце XIX — начале XX вв. многие полки русской армии праздновали свои юбилеи — 100, 150 и более лет, так называемые «старшинства» частей. По этому случаю практически все полки-юбиляры учреждали свои полковые знаки — своеобразные корпоративные отличия, носившиеся всеми чинами полка на мундире. Рисунок полкового знака утверждался самим царем или военным министром и, как правило, включал в себя изображения и надписи, напоминающие о героических страницах истории части.

Полковые знаки более десяти гвардейских частей включали в себя как элемент изображения Андреевской звезды и ленты, а три гвардейских пехотных полка основой своих знаков сделали Андреевский крест. При этом старейший полк русской армии — Преображенский — учредил свой полковой знак по эскизу Андреевского креста, собственноручно выполненному в свое время Петром. Авторы полкового знака скопировали обе его стороны, и эмблема преображенцев стала единственной среди сотен полковых отечественных знаков, имеющей изображения и надписи на оборотной стороне. Это покажется совершенно бессмысленным (ведь полковые знаки должны были носиться плотно привинченными к мундиру), если не понять желание художника точно скопировать рисунок креста, сделанный когда-то Петром.

Не только в гвардии полковые знаки включали изображения элементов Андреевской награды. Дюжина армейских пехотных полков поместила на свой знак Андреевскую звезду и ленту, а 11-й пехотный Псковский и 13-й уланский Владимирский сделали основой знака Андреевский крест.

and usually incorporated images and inscriptions pertaining to the more glorious episodes of the unit's past.

About a dozen Guards units had badges with the St. Andrew Star and ribbon, while three regiments of Foot Guards had taken the Cross of St. Andrew as the key element of theirs. The Preobrazhensky (Transfiguration) Regiment, the oldest in the Russian Army had modelled its badge on the Cross designed by Peter the Great. The artists who designed the badge copied both sides of the Emperor's original creation, which made the Preobrazhensky Regiment unique as it alone had the badge engraved on both sides. This may appear absurd (since regimental badges were worn firmly fixed to the coat, face up), unless one recognises here a respectful artist's desire to preserve every feature of the Cross once touched by the hand of Peter the Great.

However, the Guards were not alone in taking fancy to one or another part of the Order of St. Andrew the First-Called. A dozen or so Army Infantry regiments had decorated their badges with the Star and the ribbon, while the 11th Pskov Infantry and the 13th Vladimir Ulan (Light Cavalry) regiments had opted for the Saint's Cross.

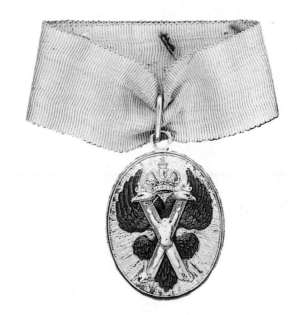

ОРДЕН

СВ. АЛЕКСАНДРА

НЕВСКОГО

THE ORDER

OF ST. ALEXANDER

NEVSKY

30 августа 1724 года из Владимира в Санкт-Петербург были перевезены останки Александра Невского и преданы земле в монастыре, с тех пор носящем название «Александро-Невская лавра». Он был основан Петром I в 1710 году на левом берегу Невы, на месте, где почти за полтысячелетия до этого, 15 июля 1240 года, войска под предводительством князя Александра наголову разбили шведов. За это сражение Александр, лично в нем отличившийся, получил почетное прозвание «Невский», а в 1380 году был причислен церковью к лику святых.

К началу XVIII столетия на былом поле брани рос лес, окруженный болотами. Решив основать монастырь именно здесь, на священном для россиян месте, Петр велел вырубить лес и осушить болота. Сюда и были перенесены в 1724 году останки князя Александра. Тогда же, или несколько ранее, император задумал учредить новый орден — имени Александра Невского для награждения исключительно за военные заслуги.
Но в самом начале 1725 года Петр умер, так и не успев осуществить свое намерение.

Первые награждения орденом были произведены в царствование его жены, императрицы Екатерины I. Поводом для них послужило бракосочетание дочери Петра и Екатерины царевны Анны со шлезвиг-гольштинским герцогом Карлом-Фридрихом 21 мая 1725 года. Среди восемнадцати человек, ставших в этот день кавалерами вновь учрежденного русского ордена, оказались лица не только военные, но и гражданские. Таким образом, намерение Петра учредить чисто военную награду не было выполнено. В числе получивших орден оказались четверо придворных голштинского герцога, прибывших с ним на бракосочетание в Санкт-Петербург. Еще одним гражданским лицом, получившим эту награду, стал обер-гофмейстер принцессы Анны С. К. Нарышкин. Остальные кавалеры имели воинские чины российской армии или флота: генерал-поручика (генерал-лейтенанта) — Г. И. Бонн, П. П. Ласси (Лассий) и равный ему чин генерал-кригскомиссара — И. М. Головин; генерал-майора — Г. П. Чернышев, М. Я. Волков, А. И. Ушаков, И. И. Дмитриев-Мамонов, Г. Д. Юсупов, С. А. Салтыков,

On August 30, 1724, the remains of Alexander Nevsky were brought to St Petersburg from the city of Vladimir to be buried in a monastery known since that day as Alexander Nevsky Laura. The Monastery had been founded by Peter the Great in 1710, on the Neva's left bank, on the site of the battle in which, nearly 500 years earlier, on July 15, 1240, Prince Alexander led his troops to victory against the Swedes. For inflicting a crushing defeat on the enemy and for outstanding personal gallantry, Alexander received the honorary title of Nevsky, and was posthumously canonised in 1380.

By the 18th century, the erstwhile battlefield had been a wilderness of woods and marshes. Set on founding the Monastery on that precise spot, sacred to every Russian, Tsar Peter ordered the trees felled and the marshes drained. And it was there that the remains of Prince Alexander were buried in 1724. Around the same time, or a little earlier, the Emperor decided to found a new Order of St. Alexander Nevsky, to be given exclusively to officers on merit. But early in 1725 Peter the Great died before his plan could be realised.

The first holders of the Order appeared in the reign of his wife, the Empress Catherine. Conferments were made on the occasion of the wedding of Tsarevna (Princess) Anna, daughter of Peter and Catherine, and Charles Frederick, Duke of Schleswig-Holstein, on May 21, 1725. Among the eighteen persons awarded the newly established Russian Order were both officers and civilians. Thus tne plans of Peter the Great to found a special military order of merit had been foiled. Four of the first recipients of the award were the courtiers of the Duke who had accompanied him to St. Petersburg for the wedding. One more civilian was S. K. Narishkin, Oberhofmeister to the young Princess. All other bearers happened to have senior army or navy ranks either of Lieutenant-General — G.I. Bonne, P. P. Lassie and its equivalent of Kriegskommissar General — I. M. Golovin; or of Major-General — G. P. Chernishev, M. Y. Volkov, A. I. Ushakov, I. I. Dmitriev-Mamonov, G. D. Yusupov, S. A. Saltikov, A. M. Devier. Three naval officers were in the rank of Vice-Admiral — A. I. Sievers and M. Kh. Zmaevich, or Rear-Admiral (Schautbenacht) — N. A. Seniavin. Curiously, the group also included

А. М. Девиер. Трое имели морские чины: вице-адмиралы А. И. Сиверс и М. Х. Змаевич и шаутбенахт (контр-адмирал) Н. А. Сенявин. В число первых награжденных попал и единственный за все время существования ордена Александра Невского кавалер, имевший чин бригадира (по Табели о рангах помещавшийся между полковником и генерал-майором)[1] Иван Лихарев.

Следующим получил орден 30 июня 1725 года генерал-поручик М. А. Матюшкин, сподвижник Петра. Незадолго до этого он отличился в Персидском походе, особенно при взятии Баку в 1723 году, за что император пожаловал его чином генерал-поручика. Оставленный в новозавоеванных провинциях в качестве командующего всеми российскими войсками, он здесь и получил присланные из Санкт-Петербурга знаки ордена Александра Невского.

Эти первые награждения свидетельствуют о том, что орден был задуман как награда для лиц, имевших чин генерал-лейтенанта или генерал-майора. Но очередное награждение этим знаком отличия, которое состоялось 30 августа 1725 года, в день св. Александра Невского, резко повысило значение ордена. Императрица Екатерина I возложила на себя знаки ордена Александра Невского, а вместе с ней получил награду еще 21 человек, в том числе польский король Август II и король Дании Фредерик IV. Кроме них, были награждены состоявшие в родстве с российским императорским домом три герцога, российский канцлер граф Г. И. Головкин, генерал-фельдмаршалы А. Д. Меньшиков, М. М. Голицын и А. И. Репнин и равный им по чину генерал-фельдцейхмейстер (начальник всей русской артиллерии) Я. В. Брюс, два полных генерала и один полный адмирал, а также другие весьма высокие военные и гражданские русские и иностранные чины. Характерно, что среди них не оказалось ни одного генерал-майора, не говоря уж о людях более низких званий. Так и утвердился с этого времени орден Александра Невского как награда для лиц, имеющих, как правило, чин не ниже генерал-лейтенанта либо соответствующего

one Brigadier Ivan Likharev (only slightly better than a Colonel, according to the Table of Ranks)[1], the only such holder of the Order of St. Alexander Nevsky on record.

Another Order of St. Alexsander Nevsky went to Lieutenant-General M. A. Matiushkin on June 30, 1725. A loyal Peterite, he had distinguished himself in the Persian campaign a short while before, particularly in the siege of Baku in 1723, which earned him promotion from the Emperor. He stayed behind in the newly captured provinces, in charge of the Russian troops stationed there, and there it was that he received the insignia of the Order sent over from St. Petersburg.

The first two instances of decoration seem to suggest that the Order had been intended for officers in the rank of Lieutenant-General or even Major-General. Yet the next conferment which occurred on August 30, 1725, the Day of St. Alexsander Nevsky, had noticeably raised the Order's status. The Empress Catherine «decorated herself» with the insignia of the Order of St. Alexander Nevsky, in the company of twenty-one other people similarly honoured, among them the Polish King August II, and the King of Denmark Frederick IV. There were also three dukes, related to the Russian Imperial family, Russia's Chancellor Count G. I. Golovkin, Field Marshals A. D. Menshikov, M. M. Golitsin and A. I. Repnin, and their equal in rank, Feldzeichmeister General (Commander-in-Chief of the entire Russian artillery) J. W. Bruce; two full Generals and one full Admiral; and several more senior military and civilian officials, both Russian and foreign. Characteristically, there was not one Major-General among them, to say nothing of officers of lower rank. Since then the Order of St. Alexander Nevsky had been firmly established as a decoration for persons in the rank of Lieutenant-General, or higer, and its civil counterpart of Privy Councellor.

Altogether, there were sixty-three people decorated with the Order of St. Alexander Nevsky during the reign of Catherine I, not counting the Empress herself.

---

[1] Чин бригадира упразднен Павлом I в конце XVIII века.

[1] The rank was scrapped by the Emperor Paul at the end of the 18th century.

Знак (крест) ордена
св. Александра
Невского.

Badge (cross) of the
Order of
St. Alexander Nevsky.

Рисунок печати
ордена
св. Александра
Невского.

Drawing of the Seal
of the Order of
St. Alexander Nevsky.

Печать Ордена Святаго Александра
Невскаго.

Звезда ордена
св. Александра
Невского с короной.
Алмазная огранка по
стали.

Star of the Order of
St. Alexander Nevsky
with a crown.
Diamond-cut steel.

Знак (крест) ордена
св. Александра
Невского. Алмазная
огранка по стали.

Badge (cross) of the
Order of
St. Alexander Nevsky.
Diamond-cut steel.

*Звезда ордена
св. Александра
Невского.*

*Star of the Order of
St. Alexander Nevsky.*

Звезда ордена
св. Александра
Невского с мечами.

*Star of the Order of
St. Alexander Nevsky
with swords.*

ему гражданского чина тайного советника.

Всего при Екатерине I орден Александра Невского был выдан, не считая императрицы, шестидесяти трем лицам.

Во второй четверти и середине XVIII столетия (до Екатерины II) орден Александра Невского был выдан около трехсот раз[1]. Его кавалерами стали известные военачальники П. А. Румянцев, удостоенный награды в чине генерал-поручика в 1759 году за отличие в сражении при Кунерсдорфе, знаменитый арап Петра Великого Абрам Петрович Ганнибал, награжденный в 1760 году в чине генерал-аншефа, отец великого Суворова генерал-поручик В. И. Суворов, справедливо отмеченный в том же году за огромную работу в должности генерал-губернатора Пруссии во время Семилетней войны, и другие. Из лиц гражданских, получивших этот орден,— президент Академии наук К. Г. Разумовский (1746 г.), один из учредителей Московского университета и первый его куратор И. И. Шувалов (1751 г.), известный отечественный просветитель и общественный деятель И. И. Бецкой (1760 г.), который создал несколько новых для России типов учебных заведений и благотворительных учреждений, в течение трех десятилетий стоял во главе Академии художеств и организовал первые в России художественные выставки.

Получили в это время орден Александра Невского и монархи. Это польский король и саксонский курфюрст Август III (1736 г.), прусский король Фридрих II (1743 г.), а также царь Картли — знаменитый грузинский писатель, ученый и политический деятель Вахтанг VI (1728 г.), вынужденный эмигрировать с семьей в Россию, когда усилившиеся происки турецких и иранских властей стали угрожать жизни его и близких. Орден получили также грузинские царевичи Балкар (1734 г.) и Георгий (1758 г.), имевшие чины генерал-лейтенантов российской армии.

В 1731 году Александровским кавалером становится гетман Левобережной Украины

In the second quarter and the middle of the 18th century (prior to the enthronement of Catherine II), nearly three hundred individuals became recipients of the award.[1] Among them outstanding military leaders — P. A. Rumiantsev, then Lieutenant-General, who was given the Order in 1759 for his valour at the battle of Kunersdorf; the famous Arap (African) of Peter the Great, Abram Petrovich Hannibal, decorated in 1760, in the high rank of General *en chef;* the father of the great Suvorov, Lieutenant-General V. I. Suvorov, justly rewarded in the same year for his prodigious work as Governor General of Prussia during the Seven Years War; and others. Of the civilian recipients of the Order may be noted K. G. Razumovsky, President of the Academy of Sciences (1746); one of the founders of Moscow University and its first curator, I. I. Shuvalov (1751); a renowned Russian enlinghtener and public figure, I. I. Betskoy (1760), who had had to his credit several new types of school in Russia and a number of charities and had been head of the Russian Academy of Arts for three decades; he also organised the first ever art shows in the country.

Some of the persons decorated at the time were of royal blood. They were the King of Poland and Kurfürst of Saxony August III (1736), Frederik II of Prussia (1743), and the Georgian King Vakhtang VI (1728) — a talented writer, scholar and politician forced into Russian exile after the underhand practices of Turkey and Iran in Georgia got too bad for his personal safety and for that of his family. Two other Georgians — Princes Balkar and Georgi, both in the rank of Lieutenant-General of the Russian Army — were given the award in 1734 and 1758, respectively.

In 1731, the Order of St. Alexander Nevsky was conferred upon the Hetman of the Left-Bank Ukraine, Daniil Apostle, the last hetman to have been elected in the Ukraine. Another person worth noting was the infamous Ernst Johann Biron, the would-be Duke of Kurland and favourite of the Empress Anna, decorated in 1730, still a humble chamberlain.

---

[1] Тут и лица, удостоенные ордена Андрея Первозванного, с получением которого они автоматически становились кавалерами нескольких других высших российских орденов, в том числе и Александра Невского.

---

[1] The number also includes bearers of the Order of St. Andrew, which automatically entailed ownership of a few more of Russia's higher awards, the Order of St. Alexander Nevsky among them.

Даниил Апостол, последний выборный украинский гетман. Следует также упомянуть небезызвестного Э. И. Бирона, будущего герцога Курляндского, фаворита Анны Иоанновны, получившего орден в 1730 году еще в скромном звании камергера. Укрепившись у власти, он поспособствовал тому, чтобы в 1740 году эту награду получили одновременно и его братья Петр и Карл. Правда, когда с «бироновщиной» было покончено, все награды и звания были у братьев отняты, но возвращены в 1762 году Петром III.

В истории XVIII столетия, особенно его первой половины, мы неоднократно встречаем сведения о лишении орденов в связи, как правило, с очередным переворотом и о последующем их возвращении «потерпевшему», когда к власти снова приходят его сторонники. Так было с не менее зловещей фигурой в истории России — Б. К. Минихом, кавалером всех высших российских орденов, добившимся награждения ими также своего брата Христиана-Вильгельма и сына Эрнста. Лишенные одновременно всех привилегий и наград в связи с очередным изменением политической ситуации, Минихи получили назад все потерянное после восшествия на престол Петра III.

Страдали от политических переворотов и люди достойные. Так, Александр Иванович Румянцев, отец уже упоминавшегося П. А. Румянцева, получил орден Александра Невского в 1726 году в чине генерал-майора. С воцарением Анны Иоанновны он был лишен этой награды, и лишь в 1735 году последовало его вторичное награждение уже в чине генера-поручика. Подобных примеров можно привести немало.

Самое большое число новых кавалеров ордена Александра Невского в XVIII веке приходится на царствование Екатерины II — более двухсот пятидесяти. Им были награждены многие выдающиеся деятели: генерал-майор А. В. Суворов (1771 г.), генерал от инфантерии М. И. Кутузов (1791 г.), вице-адмирал Ф. Ф. Ушаков (1792 г.). Среди лиц гражданских — тайный советник А. И. Мусин-Пушкин, известный историк и собиратель древних рукописей, в числе которых было и гениальное «Слово о полку Игореве».

Once he had got a firm grip on power, he saw to it that both his brothers, Peter and Karl, received the award in 1740. However, the brothers were stripped of all their titles and decorations as «bironism» collapsed, but in 1762, under Peter III, they got everything back.

The practice of stripping people of their awards with each new coup was common enough in the 18th century, and especially in its first half; when power was again in the «friendly» hands, the wrong done to the «victim» was redressed by restoring everything to him. That was what happened to another, no-less-sinister, character of Russian history — Burhardt Christoph Münnich, holder of every major Order in Russia, who had pulled a few wires to have his brother Christian Wilhelm and son Ernst similarly decorated. Deprived of all favours and awards virtually overnight, when the political situation had changed, the Münnichs got them back, likewise in a body, from the new Emperor Peter III.

Quite often a coup would hit some perfectly worthy people as well. Thus, Alexander Ivanovich Rumiantsev, the father of the above-mentioned P. A. Rumiantsev, was decorated with the Order of St. Alexander Nevsky in 1726, as a Major-General; with the advent of the Empress Anna he lost his award and did not get it back till 1735, this time in the rank of Lieutenant-General.

In the 18th century, the reign of Catherine II seems to be the most lavish with order-giving; there were over 250 recipients of the Order of St. Alexander Nevsky at the time. The number included some of Russia's most illustrious names: Major-General A. V. Suvorov (1771), General of the Infantry M. I. Kutuzov (1791), Vice-Admiral F. F. Ushakov (1792). Among the civilian holders of the Order were Privy Councellor A. I. Musin-Pushkin, a well-known historian and collector of ancient manuscripts who had rescued from oblivion that unique gem — «The Song of Igor's Campaign».

There were also the favourites of Caterine II who came fast and furious, trying to grab as much as they could while the grabbing was good, and managed to feather the nests of most friends and family, besides their own, in the process. Alexei Orlov and brother, Grigory Potemkin and his kin, Platon Zubov and brother — the list is far from complete. Under

Следует также упомянуть довольно длинный ряд фаворитов Екатерины II, каждый из которых старался использовать расположение императрицы для получения различных благ не только для себя, но и для родственников, друзей. А. Г. Орлов с братьями, Г. А. Потемкин с родственниками, Платон Зубов с братом — вот далеко не полный перечень людей, пополнивших списки кавалеров ордена Александра Невского в это время. Можно назвать и печально знаменитого московского оберполицмейстера Н. П. Архарова (награжден в 1785 году), «прославившегося» своими бесчинствами по отношению к москвичам. В народе до сих пор бытует слово «архаровцы» — грустная память о его подручных-полицейских.

В царствование Павла прибавилось еще около восьмидесяти Александровских кавалеров. 5 апреля 1797 года император утвердил «Установление для российских орденов». По этому положению в России оставались лишь четыре ордена — в порядке старшинства: св. Андрея Первозванного, св. Екатерины, св. Александра Невского и св. Анны[1] — объединенные Павлом «в единый Российский Кавалерский Чин или Орден, которого различные наименования не инако разумеемы быть имеют как разные оного класса». Это механическое объединение разных по многим характеристикам орденов в один не оправдало себя и вскоре после смерти Павла было отменено. Но «Установление» для четырех орденов, разработанное при Павле, стало основой их статутов и сохранилось без существенных изменений до конца империи.

В нем мы впервые видим официальное описание знаков орденов, в том числе и Александра Невского. Приводим это описание строго по тексту 1797 года: «Святого Александра Невского: Лента красная через левое плечо. Крест красный, имеющий в промежутках двуглавых орлов, а в середине изображение Святого Александра на коне, на другой стороне в белом поле

the same category belongs the nefarious head of the Moscow police, N. P. Arkharov (decorated 1785), who had gone down in history as the terror of the city. The Russian language owes to him the word «arkharovtsi» (ruffians), an unpleasant reminder of the excesses of his thug-policemen.

Under the Emperor Paul, another eighty people were decorated with the Order of St. Alexander Nevsky. On April 5, 1797, the Emperor approved the Statute of the Russian Orders. The Statute recognised only four Orders in Russia: the Order of St. Andrew, the Order of St. Catherine, the Order of St. Alexander Nevsky and the Order of St. Anne[1], which Paul I had grouped together as the «united Russian Knighthood Class and Order, whose various appellations are to be understood as members of the same said Class». This artificial grouping of basically different Orders had little sense in it and was abandoned soon after the Monarch's death. But the single four-order Statute drawn up under the Emperor Paul was used in working out their individual statutes, and survived almost unchanged till the collapse of the Empire.

It gave, for the first time, an official description of the Orders' insignia. Thus the Order of St. Alexander Nevsky, according to the 1797 text, consisted of «a red ribbon over the left shoulder; a red cross with two-headed eagles inserted between its bars, bearing a representation of St. Alexander on horseback; and on the other side his Coat of Arms in a white field, with a Princely Crown. A star of silver, bearing the name of St. Alexander Nevsky, in a silver field, surmounted by a Princely Crown. A red circlet bearing the motto: For Labour and Fatherland, in letters of gold».

This was followed by a description of special dress Order bearers were to wear at court on the Saint's day of August 30, and on other days «as ordered». The dress included a red velvet cloak, lined with white taffeta, and a short cape of silver brocade. The star was worn on the left breast and had to be «larger

---

[1] Павел, стремившийся отменить все нововведения, появившиеся в России при Екатерине II, прекратил награждение учрежденными ею орденами св. Георгия (1769 г.) и св. Владимира (1782 г.).

[1] Paul I, who was set on eradicating anything introduced by Catherine II, cancelled the conferment of the Orders of St. George and St. Vladimir she had instituted, respectively, in 1769 and 1782.

его вензель с Княжескою Короною. Звезда серебряная, в середине которой в серебряном поле вензеловое имя Святого Александра Невского под Княжескою Короною.
В окружности на красном поле Орденский девиз: за труды и Отечество, изображен золотыми буквами».

Здесь же описывается особый орденский костюм, в котором кавалеры ордена Александра Невского должны были появляться при дворе в орденский праздник 30 августа и в другие дни, «когда повелено будет». Костюм состоял из красной бархатной епанчи, подбитой белою тафтою, с серебряным глазетовым крагеном (род верхней накидки на плечи). Звезда при этом помещалась на левой стороне груди и должна была быть «более обыкновенной». Под епанчу надевался белый супервест с золотым галуном, с изображением в центре прямого креста. Костюм дополняла черная шляпа с бело-красным пером и нашитым сбоку крестиком из узкой красной ленты «орденского» цвета. Позднее, в XIX веке, появилась мысль добавить для ношения в особо торжественные дни и золотую эмалевую цепь наподобие Андреевской, но этот проект не был утвержден.
Знаки орденов не разрешалось самостоятельно украшать драгоценными камнями.

Павлом были учреждены орденские «командорства», когда старшие по времени получения ордена кавалеры пользовались доходами с деревень, приписанных к ордену. Так, шесть самых старших кавалеров ордена Александра Невского имели право получать доходы с 600 крепостных душ каждый (безотносительно к имеющимся у них в личной собственности крестьянам), восемь следующих кавалеров пользовались доходами от труда 500 крепостных и, наконец, 10 кавалеров третьей категории получали доход от 400 крестьян каждый. При этом определенное число «командорств» в каждой группе оставалось для Александровских кавалеров духовного звания.

После смерти награжденного родные должны были все знаки ордена возвращать Орденскому Канцлеру, ведавшему орденскими делами под эгидой императора. Имелись и более мелкие должности в орденском управлении: обер-церемониймейстер и орденский

than usual». Under the cloak was worn a white vest with golden trimming and a plain cross in the middle. The last item to go with the dress was a black hat with a red-and-white plume and a small cross of the fillet of the «Order-red» on one side. Later, in the 19th century, it was decided to add a gold-and-enamel chain, styled on the chain of the Order of St. Andrew, to be worn on extra-solemn occasions, but the idea was stillborn. Any arbitrary ornamenting of Order insignia with jewels was strictly forbidden.

Paul I introduced the title of Knight Commander of the Order for the oldest holders of the award who were entitled to the income from villages registered with the Order. The first six most senior Order bearers were put in possession of 600 serfs, irrespective of the number already owned by them; the next eight could have 500 serfs apiece working for them; and finally Knights Commander 3d Class — ten in all — had 400 serfs each at their disposal. A fixed number of Knighthoods in each class was reserved for clerical holders of the Order of St. Alexander Nevsky.

Upon the demise of the Order bearer, his family was required to hand in all Order insignia to the Order Chancellor, a man in charge of Order matters, under the auspices of the Emperor. The Office had lesser jobs, too, besides that of the Chancellor — the Marshal of Ceremonies and the Order Bursar, who looked after all the four Orders. Also, each Order had its own Master of Ceremonies, a Secretary and two Heralds.

Each Order had a church in St. Petersburg assigned to it. In the case of the Order of St. Alexander Nevsky, it was the church in the Alexander Nevsky Monastery of the Holy Trinity, the burial place of St. Alexander. Originally, on the Order holiday (which was the Saint's day of August 30) a cross-bearing procession, accompanied by junior holders of the Order, was to set out from the Cathedral of Our Lady of Kazan and move to the Alexander Nevsky Laura. Later, the Emperor Paul named the suburb of Gatchina as the site for the celebrations of the Alexander Nevsky day.

Under Paul I, a six-member Committee of Order holders was set up with a view to supervising «shelters», invalids' homes and schools in the Order's trust. The money for the maintenance of those institutions came from

казначей — единые для всех четырех орденов. При каждом из сохраненных Павлом орденов существовало по одному церемониймейстеру, по одному орденскому секретарю и по два герольда.

Каждый орден получал свою орденскую церковь в Санкт-Петербурге. Орден Александра Невского считал своею соборную церковь в Троицком Александро-Невском монастыре, где покоились останки князя Александра. Первоначально в орденский праздник (он же день св. Александра Невского) 30 августа ежегодно из собора Казанской богоматери в Александро-Невскую лавру должна была двигаться процессия, сопровождаемая младшими кавалерами Александровского ордена. Позднее Павел перенес празднование дня Александра Невского в Гатчину.

В павловское время учреждается особая комиссия из шести кавалеров ордена Александра Невского, которая должна была наблюдать за опекаемыми орденом «пристанищами для бедных», инвалидными домами и школами. Средства на содержание этих заведений складывались из взносов в 200 рублей, которые делал в орденскую казну каждый из вновь пожалованных кавалеров. На благотворительные цели шла, начиная с царствования Александра I, и половина сумм доходов с земель, предназначенных в «командорства» старшим кавалерам.

Практически все нововведения этого времени сохранились и в дальнейшем, на протяжении XIX и в начале XX веков. Появились лишь некоторые изменения.

При Александре I сумма единовременных взносов при пожаловании орденом Александра Невского возросла до 600 рублей. При этом несколько повысился ценз чинов и званий, которые надо было иметь, чтобы претендовать на награждение орденом. Звания генерал-майора и соответствующих ему гражданских чинов из кавалеров ордена Александра Невского в это время уже почти никто не имел.

Из пожалований орденом Александра Невского в первую четверть XIX века — более двухсот шестидесяти — самыми яркими являются те, которые связаны с подвигами в Отечественную войну 1812 года. Всего в период 1812—1814 годов эта награда выдана 48 раз, в том числе с

the 200-ruble contributions each newly decorated holder of the Order was to make. Another source of money was the income off the lands for the Order Knights Commander, half of which, from the time of Alexander I, had been earmarked for charities.

Nearly all the changes introduced at the turn of the century were preserved throughout the 19th and in the early 20th century. The difference of detail was insignificant.

Thus, under Alexander I, the fee to be paid in upon decoration had risen to 600 rubles. Also the candidate had to have a somewhat higher rank or class to be eligible for the Order of St. Alexander Nevsky. The rank of Major-General or its civil counterpart was hardly ever in evidence among the Order holders of the period.

Of more than 260 Orders awarded in the first quarter of the 19th century, the most noteworthy are the ones given to heroes of the 1812 war. The total number of those in 1812—1814 was 48, among them 14 with diamond-spangled insignia. Four persons were decorated for distinguishing themselves at the battle of Borodino, the key episode of the war. They were Generals of the Infantry D. S. Dokhturov and M. A. Miloradovich, and Lientenant-Generals A. I. Ostermann-Tolstoy and N. N. Raevsky. The first two, as superior in rank, were given insignia decorated with diamonds.

From 1825 and till the end of the century, the Order of St. Alexander Nevsky had been conferred more than 1,500 times. In the place of serfs for Knights Commander were introduced two classes of allowance for the senior Order holders — of 700 and 500 rubles. The actual figures for both the allowance and the fee had changed several times. After two crossed swords had been added to the Order of St. Alexander Nevsky given on merit (in 1855), the fee for this type of award was raised by 200 rubles.

In theory, a one-class Order could be entered in the personal file of the holder four times. For instance, a person decorated with a civil order of merit, without swords, could perform an act of heroism in battle and be given an award described as «swords to the previously conferred Order of St. Alexander Nevsky». Later, in the rank of General, he could be judged worthy of the «diamond insignia in addition to the previously

бриллиантами — 14. Четверо были награждены за отличие при Бородине: это генералы от инфантерии Д. С. Дохтуров и М. А. Милорадович и генерал-лейтенанты А. И. Остерман-Толстой и Н. Н. Раевский. При этом в соответствии со званиями первые двое были отмечены орденами, украшенными бриллиантами.

Начиная с 1825 года и до конца столетия орден Александра Невского вручался более полутора тысяч раз. При этом вместо «командорств» старшим кавалерам были учреждены пенсии двух категорий — в 700 и 500 рублей. В дальнейшем размеры пенсий и единовременного взноса изменялись. После дополнения знаков орденов скрещенными мечами за боевые подвиги (в 1855 году) последовало и увеличение взносов при получении такой награды на 200 рублей.

Теоретически орден, имеющий одну лишь степень, мог быть записан в послужной список-формуляр награжденного до четырех раз. Например, после пожалования орденом Александра Невского за гражданские заслуги, то есть без мечей, награжденный мог проявить отвагу в боевой обстановке и быть отмеченным наградой, называвшейся «мечи к имеющемуся ордену св. Александра Невского». Впоследствии, находясь в генеральском чине, он мог заслужить «бриллиантовые знаки к имеющемуся ордену Александра Невского», что добавляло еще одну строчку в формуляр. При этом по высочайшему повелению от 28 марта 1861 года мечи на вновь пожалованных бриллиантовых знаках ордена, как относящиеся к предыдущему награждению, помещались не в центре знака и звезды, а в верхней их части: на звезде — над центральным медальоном, а на кресте — на верхнем луче. И, наконец, опять-таки теоретически могло последовать еще одно награждение — «бриллиантовые мечи к имеющимся уже бриллиантовым Знакам ордена Александра Невского».

Довольно сложными были правила ношения российских орденов. Они учитывали, какой вид мундира или гражданского костюма украшается наградами, какие другие ордена и знаки имеются у награжденного.

conferred Order of St. Alexander Nevsky», which required a new entry in the file. In the latter case, according to a special imperial decree of March 28, 1861, the swords, as referring to the previous decoration, were to be placed not in the middle but in the upper part of the diamond Order insignia — over the medallion in the centre of the Star and on the top of the Cross. And, finally, the last theoretically possible option was to give the person «diamond swords in addition to the previously conferred diamond insignia of the Order of St. Alexander Nevsky».

Regulations governing the wearing of a Russian Order were far from simple. They concerned the type of military or civilian dress on which the insignia could be worn, as well as all other decorations the holder of the Order might have been in possession of.

ОРДЕН
СВ. ГЕОРГИЯ

THE ORDER

OF ST. GEORGE

Идея награды исключительно за боевые отличия не угасла. В 1765 году составляется проект Военного Екатерининского ордена, названного в честь императрицы Екатерины II. Орден должен был иметь две степени — «большой и малый кресты». Получить его мог любой офицер, отличившийся храбростью или проявивший в бою высокое военное искусство. Право на орден имели также лица, прослужившие двадцать пять лет в офицерских чинах в сухопутной армии, и морские офицеры, участвовавшие в восемнадцати морских кампаниях после получения офицерского чина.

Знаки предполагаемого ордена представляли собой четырехконечный крест с раздвоенными лучами («ласточкин хвост»), покрытый белой эмалью. Степени награды отличались лишь размерами. На лицевой стороне в круглом медальоне намечалось поместить государственный герб — орла, на оборотной — вензель учредительницы награды «Е II». На оборотной стороне на лучах помещалась аббревиатура «З.С.В.» — «За службу военную». Крест предполагалось носить на ленте из красной и зеленой половин с золотой каймой: 1-я степень — на шее, на ленте примерно в 6 сантиметров шириной, 2-я степень — в петлице, на такой же ленте, но шириной в 4 сантиметра.

Екатерининский орден так и не был учрежден, вероятно, по причине того, что уже существовал дамский орден св. Екатерины. Но в 1769 году в развитие идеи, не осуществленной четырьмя годами ранее, появился боевой офицерский орден св. Георгия. Имя святого для воинской награды взято неслучайно: по церковному преданию, в Риме при императоре Диоклетиане жил военачальник Георгий, исповедовавший христианство и за это преданный казни. На Русь культ святого Георгия пришел с введением христианства. Первым из князей, принявшим второе, церковное имя Георгия, был князь Ярослав Мудрый. В 1036 году, после победы над печенегами, он основал в Киеве монастырь в честь своего христианского покровителя. Монастырь был освящен 26 ноября, что стало впоследствии и днем учреждения ордена св. Георгия (день св. Георгия празднуется 23 апреля — в дату казни святого).

Russia still did not have an exclusively military order of merit. So, a statute of the Military Order of St. Catherine, in honour of Catherine II, was drafted in 1765. It was to have two classes — with «the Greater and the Lesser Crosses». The award could be given to any officer of conspicuous courage or fighting skills; or to army officers who had seen twenty-five years of service and to naval officers who had taken part in eighteen sea campaigns since their first officer rank.

The proposed insignia included a Greek cross on white enamel with split dovetail terminations. The two classes of the Order differed only in size. On the face side there was a round medallion with the imperial eagle which was Russia's national emblem; the other side bore the founder's monogram in the centre and the anagram of the motto «For Military Service» on the cross bars. The cross of the first class was to be worn round the neck on a 2.5-inch ribbon of red and green, edged with gold; the cross of the second class was suspended from a 1.5-inch ribbon of the same description for wearing in the buttonhole.

The Order of St. Catherine had never been instituted after all, probably because there was a ladies' Order of the same name. But the idea of a military order still lingered and eventually, after four years of indecision, took shape, in 1769, as the Order of St. George. The choice of the saint was no accident: there is an ecclesiastical legend about a Roman officer, George, who was martyred during the Deocletian persecutions. Russia had inherited the cult of St. George with Christianity. The first of the Russian rulers to adopt George as a second, baptismal, name was Yaroslav the Wise. In 1036, having routed the Pecheneg nomads, he founded a monastery in Kiev dedicated to his patron saint. The monastery was consecrated on November 26, which date later became the foundation day of the Order of St. George (the Saint's day is, in fact, April 23, when he was executed).

The Order of St. George (more formally known as the Imperial Military Order of the Holy Martyr and Hero St. George) was officially instituted on November 26, 1769. Its Statute says, among other things: «Neither noble birth, nor the past merits, nor yet the wounds received in battle shall be of consequence in conferring the Order upon a person, who may be granted that honour only

Орден св. Георгия (полное его название — Императорский Военный орден святого великомученика и победоносца Георгия) был официально учрежден 26 ноября 1769 года. В статуте его, в частности, сказано: «Ни высокий род, ни прежние заслуги, ни полученные в сражениях раны не приемлются в уважение при удостоении к ордену св. Георгия за воинские подвиги; удостаивается же оного единственно тот, кто не только обязанность свою исполнял во всем по присяге, чести и долгу, но сверх сего ознаменовал себя на пользу и славу Российского оружия особенным отличием». Орден мог получить, например, тот, кто, «лично предводительствуя войском, одержит над неприятелем, в значительных силах состоящим, полную победу, последствием которой будет совершенное его уничтожение», или, «лично предводительствуя войском, возьмет крепость». Эта награда могла быть выдана также за взятие неприятельского знамени, захват в плен главнокомандующего или корпусного командира неприятельского войска и другие подвиги. В статуте ордена говорилось: «Сей орден никогда не снимать, ибо заслугами оный приобретается».

Орден св. Георгия имел четыре степени, причем первый раз награждаемый должен был представляться к низшей, 4-й степени, в следующий раз — более высокой 3-й, далее 2-й и, наконец, совершивший четвертый подвиг мог быть представлен к награждению орденом св. Георгия 1-й степени.

Низшая, 4-я степень ордена представляла собой золотой крест с расширяющимися от центра лучами, покрытыми белой эмалью. В центральном круглом медальоне знака (креста) ордена на розовом (а с 30-х годов XIX века красном) фоне помещалось изображение св. Георгия на коне, поражающего копьем змия. Некоторыми это изображение неверно трактуется как борьба с драконом, но дракон в отечественной геральдике олицетворяет добро. И дракон, и змий изображаются в геральдике крылатыми, но дракон — с двумя лапами, а змий — с четырьмя. Эта тонкость, оставаясь незамеченной, и приводит к ошибочной трактовке изображения змия как дракона.

Четвертая степень ордена св. Георгия

in the event of distinguishing himself by gallantry of outstanding nature to the glory of the Russian arms, besides doing what his oath, honour and duty may demand.» Thus the Order could be given to someone who «leading a troop in person, wins full victory over the enemy force of considerable strength, even to its utter destruction», or «leading a troop in person, will seize a fortress». The award could also be given for capturing an enemy standard, commander-in-chief, corps commander, and for other acts of heroism. The Statute said further: «The Order shall be worn always, at all time, for it has been justly merited.»

The Order of St. George had four classes. Anyone decorated for the first time received the lowest fourth-class award; the next award was already third-class; then second; and finally, the fourth outstanding deed by the same person was rewarded by the Order of St. George first class.

The fourth class of the Order was in the form of a gold cross in white enamel, with widening rays extending from the centre. The round medallion in the centre of the cross bore a representation of St. George on horseback slaying the Serpent with a lance. The figure of the Saint was originally placed in the pink field, replaced by red in the 1830s. The scene is sometimes mistakenly interpreted as a struggle with the Dragon, but the Dragon signifies good in Russian heraldry. The confusion may have arisen from the fact that both are winged beasts, only the heraldic Dragon has two feet, whereas the Serpent has four. This subtlety of detail is usually overlooked, hence the mistake.

The Order of St. George fourth class was also given to officers after twenty-five years of service in the army and after taking part in eighteen campaigns in the navy, on condition that they had fought in at least one battle. Post-1816 badges given for length of service had the legend «25 YEARS» or «18 CAMPAIGNS», as the case might be. The twenty-five-year term was cut by three years for those officers who had been in action in the more important battles, such as the assault on Ochakov in 1788, the seizure of Izmail in 1790, or of Praha (a Warsaw suburb) in 1794, the battle of Preusisch-Eylau of 1807, the seizure of the Turkish fort of Bazarjik in 1810, etc. Also, officers decorated with the Order of St. Vladimir with a Bow for valour

Памятная медаль на
учреждение ордена
св. Георгия.

Medal in
commemoration of the
institution of the
Order of St. George.

*Звезда ордена
св. Георгия
1-й степени,
принадлежавшая
А. В. Суворову.
Награда получена за
победу при Рымнике
в 1789 году.*

*Star of the Order of
St. George 1st Class,
owned by Alexander
V. Suvorov. The
award was received
for the victory on the
River Rymnik in 1789.*

Портрет адмирала С. К. Грейга. В числе прочих наград на его мундире мы видим звезду и Знак ордена св. Георгия 2-й степени, полученного за отличие в сражении при Чесме в 1770 году.

Portrait of Admiral S. K. Greig. Among other awards on his uniform we can see a star and badge of the Order of St. George 2nd Class received for gallantry during the Battle in Chesma Bay in 1770.

Знак (крест) ордена св. Георгия 3-й степени. Центральный медальон имеет фон розовой эмали, что свидетельствует о раннем происхождении награды.

Badge (cross) of the Order of St. George 3rd Class. The central medallion is covered with pink enamel which attests to an early origin of the award (before the 1830s).

Звезда ордена св. Георгия.

Star of the Order of St. George.

Знак (крест) ордена св. Георгия 3-й степени. Центральный медальон красной эмали (вторая половина XIX века).

Badge (cross) of the Order of St. George 3rd Class. The central medallion is covered with red enamel (middle and late 19th century).

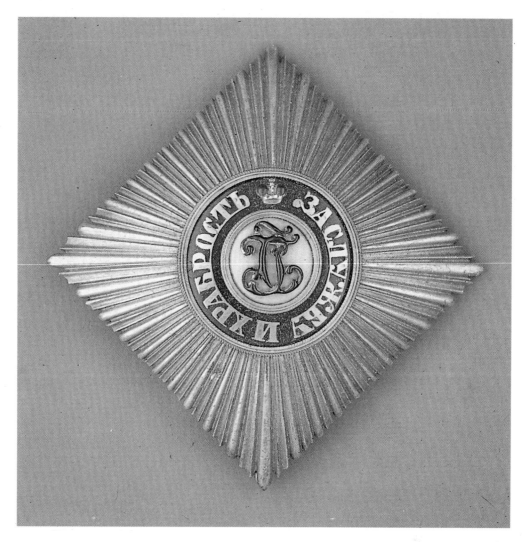

Лицевая и оборотная
стороны Знака
(креста) ордена
св. Георгия
4-й степени,
принадлежавшего
генерал-
фельдмаршалу
И. Ф. Паскевичу-
Эриванскому.

*Obverse and reverse
of the badge (cross)
of the Order of
St. George 4th Class
owned by Field
Marshal I. F.
Paskevich-Erivansky.*

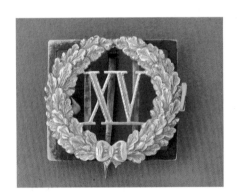

Нагрудный знак
отличия за выслугу
15 лет в офицерских
чинах.

*Decoration for
15 years of service as
an officer.*

Нагрудный знак
отличия за выслуг
50 лет в офицерск
чинах.

*Decoration for 50
years of service as
officer.*

Знак (крест) ордена
св. Георгия
4-й степени на
колодке.

*Badge (cross) of the
Order of St. George
4th Class on a
medal-holder.*

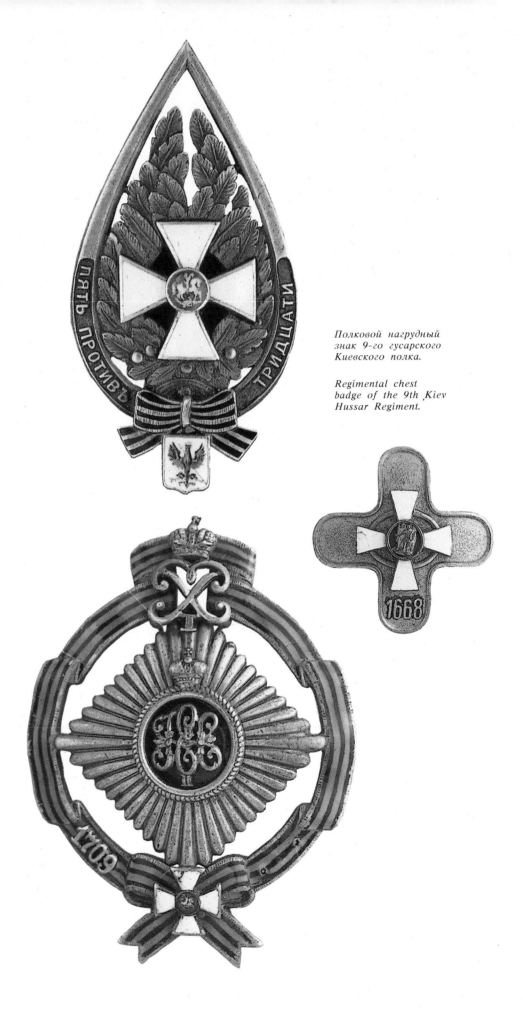

Полковой нагрудный
знак 17-го гусарского
Черниговского полка
с изображением
навершия
Георгиевского
знамени, которым
был награжден полк
за отличие при
Шенграбене в
1805 году.

Regimental chest
badge of the 17th
Chernigov Hussar
Regiment representing
the spearhead of the
flagstaff of the
St. George banner,
awarded to the
regiment for the feats
of arms at
Schöngraben in 1805.

Полковой нагрудный
знак 9-го гусарского
Киевского полка.

Regimental chest
badge of the 9th Kiev
Hussar Regiment.

Полковой нагрудный
знак
13-го драгунского
Военного ордена
полка с
изображением знака
(креста), звезды и
ленты ордена
св. Георгия (Военного
ордена).

Regimental chest
badge of the
13th Military Order
Dragoon Regiment,
representing a badge
(cross), star and
ribbon of the Order of
St. George (Military
Order).

Портрет генерала   Portrait of General
П. И. Багратиона.   P. I. Bagration.

давалась также за выслугу в офицерских чинах — 25 лет — в полевой службе и 18 кампаний — в морской, при условии участия хотя бы в одном сражении. При этом с 1816 года на знаках, полученных за выслугу лет, помещалась надпись, соответственно — «25 лет» и «18 кампаний». Двадцатипятилетний срок выслуги сокращался на три года для тех офицеров, которые участвовали в выдающихся сражениях: штурме Очакова в 1788 году, взятии Измаила в 1790 году, Праги (предместье Варшавы) в 1794 году, в сражении при Прейсиш-Эйлау в 1807 году, в штурме турецкой крепости Базарджик в 1810 году. Кроме того, офицеры, заслужившие в боях орден св. Владимира 4-й степени с бантом, убавляли из двадцатипятилетнего срока для получения Георгия 4-й степени за выслугу еще по три года, а награжденные золотыми шпагами «За храбрость» — по два года. Позднее к этому списку прибавились новые льготы: срок получения «выслужного» Георгия убавлялся за орден Анны 3-й степени с бантом на два года, Анны 4-й степени (холодное оружие «За храбрость») — на один год. На один год убавлялся этот срок и для офицеров, получивших за боевые заслуги «высочайшее благоволение» императора — награду, заносившуюся в формуляр отличившегося.

Убавлялся на одну кампанию срок получения ордена св. Георгия «за 18 кампаний» и для морских офицеров, участвовавших в выдающихся сражениях на воде, например, в Роченсальмском сражении со шведами в 1789 году, «в разных действиях Черноморского флота» в 1791 году и других. Кроме того, участие в кругосветных путешествиях на судах «Восток» и «Мирный» в 1819—1821 годах, «Открытие» и «Благонамеренный» в 1819—1822 годах, а также в нескольких других «кампаниях кругом света», осуществленных до конца 20-х годов XIX столетия, засчитывалось вдвое по сравнению с календарным временем (морская кампания считалась в шесть месяцев «чистого» времени плавания). Как и для сухопутных офицеров, уменьшалось время выслуги к получению ордена св. Георгия «за кампании» морским офицерам, награжденным орденом св. Владимира 4-й степени с бантом,— на две кампании, орденом

in battle could have the term reduced by another three years (two for those whose award had been a gold sword given for bravery) to become eligible for the length-of-service Order of St. George fourth class. Eventually, the list of privileges had been extended: the required length of service was two years less for holders of the Order of St. Anne third class with a Bow; one year less for holders of the fourth class of the same award (or of «For Gallantry» cold steel). The same applied to officers whose valiant fighting had merited an expression of approval by the Emperor, of which an entry was made in their personal files.

Naval officers entitled to the Order of St. George could likewise have taken part in one campaign fewer, if they had been active participants of one of the historic naval battles, for example, at Roköensalme fighting the Swedes in 1789, or in «various actions by the Black Sea fleet» in 1791, and others. Besides, service on one of the ships that had made round-the-world voyages — the «Vostok» and «Mirny» in 1819—1821, the «Otkritie» and «Blagonamerenny» in 1819—1822 — as well as in a number of other «campaigns around the world» effected in the late 1820s, was counted as double on actual time (a naval campaign was equivalent to six months of «plain» sailing time). Like ground officers, naval officers decorated with the Order of St. Vladimir fourth class with a Bow could have the number of campaigns reduced by two, and by one in the case of those with the Order of St. Anne third class with a Bow; the owners of a gold sword «For Gallantry» could have one full campaign and two months off the stated term; the Order of St. Anne fourth class «For Gallantry» entitled one to a half-a-campaign cut, and a record of the Emperor's approval in the personal file was worth two months of sailing time. It may be pertinent to add to this that for officers who had never fought in any battle the required number of campaigns was twenty instead of eighteen, and their length-of-service Order of St. George had the legend «20 CAMPAIGNS» on it (those awards were the rarest of all).

The practice of decorating officers with the Order of St. George fourth class for length of service was discontinued by a special decree of May 15, 1855. Instead, officers and generals

св. Анны 3-й степени с бантом — на одну, золотой шпагой «За храбрость» — на одну кампанию и два месяца, орденом св. Анны 4-й степени «За храбрость» — половину кампании и «высочайшим благоволением» — на два месяца плавания. Здесь же следует добавить, что морские офицеры, не принимавшие участия ни в одном сражении, должны были совершить для получения «выслужного» Георгия не 18, а 20 кампаний, в связи с чем и надпись на награде, получавшейся ими, была «20 кампаний» (эта разновидность награды особенно редка).

Награждение орденом св. Георгия 4-й степени за выслугу лет прекращена специальным указом от 15 мая 1855 года. Вместо него офицерам и генералам стали выдавать орден св. Владимира 4-й степени с соответствующей надписью. Георгиевский же орден стал наградой исключительно за боевые заслуги. Любопытно, что незадолго до этого, в феврале 1855 года, вышел указ, согласно которому кавалеры ордена Георгия за выслугу лет, «кои, имея уже сей орден, окажут впоследствии такие отличные воинские подвиги, которые, не подходя под правила статута для награждения высшей степенью ордена, предоставляют, однако же, право на получение креста 4-й степени, установленного в награду за отличные воинские подвиги», имели право добавить к уже полученному ранее за выслугу лет Знаку ордена св. Георгия 4-й степени бант из Георгиевской ленты, который бы свидетельствовал, что носящий эту награду отмечен дважды: за выслугу лет и за воинский подвиг. В случае же, если подвиг был достоин более высокой степени — третьей,— выдавалась последняя награда.

Третья степень ордена св. Георгия представляла собой такой же крест, который носили не в петлице, а на ленте на шее. Еще более высокая награда, орден св. Георгия второй степени, включала в себя уже два основных компонента, не считая ленты: на шее носился такой же крест, но большего, чем третья степень, размера, и на груди помещалась четырехугольная золотая звезда с девизом «За службу и храбрость». Наконец, высшая — первая — степень ордена представляла собой тот же большой крест, носить который следовало на широкой ленте

were given the Order of St. Vladimir fourth class, with a relevant legend. As to the Order of St. George, it was reserved exclusively for merit in battle. Interestingly, this development was narrowly preceded by another decree, in February 1855, which allowed holders of the length-of-service Order of St. George «who, while in possession of the said Order, will subsequently perform such meritorious acts in battle which, though not envisaged by the Statute as qualifying for the higher class of the Award, will yet be deemed worthy of the Cross of the fourth class, an established award for meritorious acts in battle», to add to their original badge a Bow of the Order ribbon, which meant that the owner thereof had been decorated twice — for length of service and for an act of courage in battle. If the latter merited a higher award — the Order of St. George third class — then that was the Order conferred upon the recipient.

The Order of St. George third class was a similar cross, but unlike the fourth-class cross, it was worn around the neck on a ribbon. The next highest class of the award, the second, was made up of two parts, not counting the ribbon: the cross worn around the neck was the same shape, though bigger than that of the third class, while on the breast was worn a four-pointed gold star bearing the motto «For Service and Bravery». And, finally, the highest denomination of the Order — first class — included an identical big cross attached to a broad ribbon of the Order colours to be worn over the right shoulder, and a star worn on the breast.

The ribbon for all Order classes had alternating stripes running along it — three black and two yellow (tan) ones. Later, numerous other military awards were given this black-and-tan ribbon that had always been regarded as a mark of honour, associated exclusively with military orders of merit.

The occasion of founding the Order of St. George was marked in St. Petersburg with proper ceremony on November 26, 1769. On the same bay Catherine II, as the Order's founder, conferred the first-class award upon her person.

The first holder of the Order of St. George to be decorated for an act of heroism in battle was Lieutenant-Colonel Fedor Ivanovich Fabrician. He was given the award on December 8, 1769. On November 5, 1769,

«георгиевских» цветов через правое плечо, и звезду на груди.

Георгиевская лента ордена всех степеней имела чередующиеся три черные и две желтые (оранжевые) продольные полосы. Позднее многие воинские награды получили по наследству эту почетную, предназначавшуюся исключительно для боевых орденов и медалей, оранжево-черную ленту.

Учреждение ордена св. Георгия было торжественно отмечено в Санкт-Петербурге 26 ноября 1769 года. Причем Екатерина II как учредительница ордена в тот же день возложила на себя знаки первой степени.

Первым Георгиевским кавалером, получившим эту награду за боевой подвиг, стал подполковник Федор Иванович Фабрициан, награжденный 8 декабря 1769 года. Его отряд, насчитывавший 1600 человек, был окружен 5 ноября 1769 года у Дуная семитысячным турецким отрядом. Несмотря на явное неравенство сил, Ф. И. Фабрициан смело атаковал противника. Турки бежали, бросив пушки и потеряв только убитыми 1200 человек. Отряд Фабрициана, преследуя отступающих, с ходу взял неприятельский город Галац. За это отличие Ф. И. Фабрициан был отмечен орденом св. Георгия третьей степени.

27 июля 1770 года за блестящую победу 7 июля того же года при Ларге выдающийся русский полководец П. А. Румянцев-Задунайский был награжден сразу орденом св. Георгия 1-й степени. В один день с ним стали Георгиевскими кавалерами за победу при Ларге генералы П. Г. Племянников, Н. В. Репнин и Ф. В. Боур, оказавшись первыми военнослужащими, отмеченными орденом 2-й степени. Первым кавалером ордена св. Георгия 4-й степени за отличие стал 3 февраля 1770 года премьер-майор Р. Паткуль.

Первым кавалером ордена 4-й степени за 25-летнюю выслугу на суше стал генерал-поручик И. Шпрингер, а за 18 кампаний на море — капитан-лейтенант И. Д. Дуров. Впервые же Георгиевский крест с надписью на лучах «20 кампаний» получил, по нашим сведениям, лишь в 1835 году военный моряк, прослуживший в морском флоте два десятилетия и умудрившийся не участвовать ни в одном сражении. Этим кавалером стал капитан-лейтенант Н. Ф. Иванов.

with a detachment of 1,600, he had been surrounded on the bank of the Danube by a group of Turks 7,000 strong. In spite of the enemy's overwhelming superiority in numbers, the intrepid Fedor Fabrician ordered an attack. The Turks turned tail and ran, leaving behind all their guns and 1,200 men dead. The Russians pursued the enemy to the town of Galatz and promptly captured it. This piece of martial skill was judged so outstanding that it had earned Fedor Fabrician the Order of St. George third class, in defiance of the regulations.

The distinguished Russian military leader P. A. Rumiantsev-Zadunaisky did even better. On July 27, 1770 he was decorated at once with the Order of St. George first class for a spectacular victory he had scored over the Turks on the Larga River on July 7, in the same year. The said battle had yielded three more holders of the Order of St. George second class (the first ever) — Generals P. G. Plemiannikov, N. V. Repnin and F. V. Bour — decorated together with Count Rumiantsev-Zadunaisky. The first person to be given the Order of St. George fourth class on merit was Prime-Major R. Ratkuhl decorated on February 3, 1770.

The first holder of the Order of St. George fourth class for twenty-five years' service in the army was Lieutenant-General I. Springer, while in the navy it was Lieutenant-Commander I. D. Durov, decorated for his participation in eighteen naval campaigns. The first person to receive the Cross of St. George with the legend «20 CAMPAIGNS» on the cross extremities did not appear till 1835; it was Lieutenant-Commander N. F. Ivanov, an officer who had contrived to serve in the navy for twenty years without once taking part in a battle.

As we have seen, since February 1855, holders of the length-of-service Order of St. George fourth class who had shown courage in fighting, could be decorated with the same award plus a Bow of the Order ribbon. Three months later, with the introduction of the length-of-service Order of St. Vladimir fourth class instead of the Order of St. George, the February decree was declared void. But there was at least one officer who had been given two Orders of St. George fourth class, the second of them precisely in that brief interval. He was one Ivan Egorovich Tikhotsky. In

Как мы уже знаем, в феврале 1855 года было разрешено кавалерам ордена Георгия 4-й степени за выслугу лет, проявившим мужество в боевой обстановке, присудить снова эту же награду, но с добавлением банта из Георгиевской ленты. В том же году в мае с введением взамен ордена Георгия «выслужного» Владимира 4-й степени февральский указ аннулировали. Но известен офицер, заслуживший два ордена Георгия 4-й степени, второй из них как раз в этот короткий промежуток времени. Им оказался некто Иван Егорович Тихоцкий. В 1849 году подполковник И. Е. Тихоцкий, выслуживший 25 лет в офицерских чинах, получил орден св. Георгия 4-й степени с соответствующей надписью. В апреле 1855 года во время Крымской войны И. Е. Тихоцкий, имевший уже чин полковника, снова заслужил Георгиевскую награду, теперь уже за отличие в боевой обстановке, и получил право прикрепить бант к кресту, став одним из трех в истории этой награды кавалеров двух орденов св. Георгия 4-й степени.

Заслужить орден св. Георгия в боевой обстановке было чрезвычайно трудно. Например, за первые сто лет существования этой награды орден 4-й степени за храбрость в бою получили 2239 человек, 3-й степени — 512, 2-й — 100 и 1-й — лишь 20 человек. Среди удостоенных высшей, 1-й степени, кроме уже упоминавшихся Екатерины II и П. А. Румянцева-Задунайского,— генерал-аншеф граф А. Г. Орлов-Чесменский (за Чесму, 1770 г.), генерал-фельдмаршал князь Г. А. Потемкин-Таврический (за Очаков, 1788 г.), генерал-аншеф граф А. В. Суворов-Рымникский (за Рымник, 1789 г.). Ряд кавалеров ордена Георгия 1-й степени XIX столетия открывает генерал-фельдмаршал князь М. И. Кутузов-Смоленский, награжденный «за поражение и изгнание неприятеля из пределов России в 1812 году». В 1813 году за отличие при Кульме такую же награду заслужил генерал от инфантерии граф М. Б. Барклай-де-Толли. Последними по времени получения этого почетного отличия стали в русско-турецкую войну 1877—1878 годов главнокомандующий русскими войсками на кавказском театре великий князь, генерал от артиллерии Михаил Николаевич и командовавший действовавшей на европейском театре Дунайской армией

1849, Lieutenant-Colonel Tikhotsky, with twenty-five years of army service behind him, was decorated with the Order of St. George fourth class with a legend to this effect. In April 1855, Tikhotsky, then in the rank of Colonel, distinguished himself in the Crimean War and won another Order of St. George, this time with a Bow to be attached to the Cross, thus becoming one of the three known holders of two Orders of St. George fourth class.

The act of valour had to be outstanding indeed to merit the Order of St. George. In the first 100 years of the Order's existence there were 2,239 recipients of the fourth, lowest, class of the award; 512 decorated with the Order of St. George third class; 100 with the Order of St. George second class; and a mere 20 of those who were honoured with the Order of St. George first class. Among the latter, besides Catherine II and P. A. Rumiantsev-Zadunaisky mentioned above, were General *en chef* Count A. G. Orlov-Chesmensky (for the battle of Chesma, 1770), Field Marshal Prince G. A. Potemkin-Tavrichesky (for the battle of Ochakov, 1788); General *en chef* Count A. V. Suvorov-Rymniksky (for the battle on the Rymnik River in 1789). In the 19th century this gallant set of holders of the Order of St. George first class was joined by Field Marshal Prince M. I. Kutuzov-Smolensky, decorated for «defeating and expelling the enemy from the limits of Russia in the year 1812». In 1813, General of the Infantry Count M. B. Barclay de Tolly was similarly decorated for his part in the battle of Kulm. The last persons, chronologically, to receive this high military award were the heroes of the Russian-Turkish war of 1877—1878, General of the Artillery HRH Prince Mikhail Nikolaevich, Commander-in-Chief of the Russian Army on the Caucasian theatre of operations, and his counterpart on the European theatre of operations, Commander-in-Chief of the Danube Army, Engineer General HRH Prince Nikolai Nikolaevich Sr., who was destined to become the twenty-fifth, and last, holder of the Order of St. George first class in Russian military history.

Admittedly, not every bearer of the first-class award was quite up to the honour. For instance, in 1869, the Emperor Alexander II decorated himself with the Order of St. George

великий князь, инженер-генерал Николай Николаевич Старший, ставший двадцать пятым и последним в русской военной истории кавалером ордена Георгия 1-й степени.

Не все кавалеры 1-й степени этого ордена были порой достойны награды. Например, в 1869 году, в связи со столетним юбилеем учреждения ордена, император Александр II возложил на себя знаки 1-й степени (заметим, что ранее Александр I, имевший не меньше заслуг перед Россией, отказался принять орден Георгия 1-й степени и согласился лишь на 4-ю) да еще послал такую же награду своему другу прусскому королю Вильгельму I. В то же время великий русский флотоводец вице-адмирал П. С. Нахимов за блестящую победу над турецким флотом при Синопе в 1853 году был награжден лишь орденом св. Георгия 2-й степени.

Кроме П. С. Нахимова, среди кавалеров ордена 2-й степени (а их за всю историю ордена насчитывается 124) мы встречаем имена Ф. Ф. Ушакова, П. И. Багратиона, М. И. Платова, А. П. Тормасова, Д. С. Дохтурова, П. П. Коновницына, А. И. Остермана-Толстого, Н. Н. Раевского, А. П. Ермолова, Н. Н. Муравьева-Карсского, Э. И. Тотлебена, И. В. Гурко, Ф. Ф. Радецкого, М. Д. Скобелева. Последним кавалером ордена св. Георгия 2-й степени оказался генерал от инфантерии Н. Н. Юденич, командовавший в первую мировую войну Кавказским фронтом. Награжден за Эрзерумскую операцию 1916 года.

Третьей степенью ордена св. Георгия отмечено около 640 человек, среди которых множество также всем известных славных фамилий: здесь и сын знаменитого «арапа Петра Великого», генерал-фельдцейхмейстер морской артиллерии Иван Абрамович Ганнибал, и генерал-майор И. М. де-Рибас, чья фамилия вполне заслуженно вошла в одесскую топонимику, прославленные военачальники Я. П. Кульнев, А. Ф. Ланжерон, И. В. Васильчиков, П. С. Кайсаров, М. Г. Черняев, М. И. Драгомиров, моряки В. И. Истомин, В. С. Завойко... В числе награжденных этим высоким орденом в годы 1-й мировой войны — всем известный генерал от инфантерии А. А. Брусилов, а также

first class on the occasion of the Order's centenary (it may be noted in passing that Alexander I, hardly a less worthy monarch, had refused to accept so high an award and agreed to the much humbler Order of St. George fourth class); not content with that, he made a present of the Order to his friend Wilhelm I of Prussia. At the same time, the great Russian naval commander Vice-Admiral P. S. Nakhimov was given the Order of St. George second class for the glorious victory over the Turkish fleet in the battle of Sinop in 1853.

Besides P. S. Nakhimov, the second-class Order holders (124 in all) number among them F. F. Ushakov, P. I. Bagration, M. I. Platov, A. P. Tormasov, D. S. Dokhturov, P. P. Kononvitsin, A. I. Ostermann-Tolstoy, N. N. Raevsky, A. P. Ermolov, N. N. Muraviev-Karssky, E. I. Totleben, I. V. Gurko, F. F. Radetsky and M. D. Skobelev. The most recent recipient of the award turned out to be General of the Infantry N. N. Yudenich, Commander of the Caucasian Front in the First World War. He was decorated for the Erzerum operation of 1916.

The Order of St. George third class had been conferred on some 640 people, quite a few of them the flower of the nation: there was the son of the legendary «Arap of Peter the Great» Field Marshal of the Naval Artillery Ivan Abramovich Hannibal and Major-General I. M. de Ribas, whose name was given to the most picturesque street of the city of Odessa as a fitting tribute to his memory; famous army commanders Y. P. Kulnev, A. F. Langeron, I. V. Vasilchikov, P. S. Kaisarov, M. G. Cherniaev and M. I. Dragomirov, and sailors V. I. Istomin and V. S. Zavoiko. Among the First World War holders of the third class of the award was General of the Infantry A. A. Brusilov, a household name in Russia; and also Lieutenant-General A. Y. Gutor, Commander-in-Chief of the South Western Front armies between May and July 1917, who was one of the first army generals to have taken the side of the people in the October 1917 Revolution. Although a vast majority of his Order-bearing colleagues did not: Generals L. G. Kornilov, N. N. Dukhonin, A. M. Kaledin and A. I. Denikin all went to serve in the White Army.

генерал-лейтенант А. Е. Гутор, главнокомандующий армиями Юго-Западного фронта в мае — июле 1917 года, в числе самых первых генералов перешедший после Октября на сторону народа. Справедливости ради следует сказать, что большинство генералов — кавалеров этой награды — сражалось на стороне контрреволюции. Достаточно назвать фамилии Л. Г. Корнилова, Н. Н. Духонина, А. М. Каледина, А. И. Деникина...

Среди тысяч офицеров и генералов, заслуживших в бою 4-ю степень ордена св. Георгия, так много знакомых имен, что даже простое перечисление их невозможно. Назовем лишь несколько: Д. В. Давыдов, А. Н. Сеславин, Н. Г. Столетов, С. О. Макаров. В числе Георгиевских кавалеров были три будущих декабриста, заслуживших орден в сражениях Отечественной войны 1812 года, — М. Ф. Орлов, С. Г. Волконский и И. С. Повало-Швейковский. За бой «Варяга» и «Корейца» с японской эскадрой все офицеры во главе с командиром «Варяга» В. Ф. Рудневым удостоены Георгия 4-й степени.

Моряки прославили Родину не только в сражениях — многие из них совершили в начале XIX века кругосветные путешествия, обогатившие науку. В числе военных моряков, отмеченных орденами св. Георгия с надписью «18 кампаний», такие всемирно известные исследователи, как Ф. Ф. Беллинсгаузен, В. М. Головнин, И. Ф. Крузенштерн, М. П. Лазарев, Г. А. Сарычев, Ф. П. Литке.

За всю славную историю российской армии и флота полными кавалерами ордена св. Георгия, то есть заслужившими все четыре степени, стали лишь четверо: это генерал-фельдмаршал М. И. Кутузов-Смоленский, М. Б. Барклай-де-Толли, И. Ф. Паскевич-Эриванский и И. И. Дибич-Забалканский. Великий Суворов получил в 1771 году сразу 3-ю степень, добавив к ней позднее 2-ю и 1-ю степени. Такие же награды имел генерал-фельдмаршал Г. А. Потемкин-Таврический.

В годы первой мировой войны тысячи офицеров заслужили право на орден Георгия 4-й степени, сотни из них награждены посмертно. Среди первых «смертью

Of the thousands of officers and generals awarded the lowest fourth class of the Order of St. George on merit so many are household names again that merely listing them would take up far too much space. So we shall name but four — D. V. Davidov, A. N. Seslavin, N. G. Stoletov and S. O. Makarov. Three of the holders of the Order of St. George who were to become Decembrists in due course got their awards for fighting on the battlefields of the 1812 War. They were M. F. Orlov, S. G. Volkonsky and I. S. Povalo-Shveikovsky. After the battle of Chemulpo, where the «Varyag» and the «Koreets» stood up to a Japanese squadron, all the officers of the two ships starting with the «Varyag» captain, V. F. Rudnev, were decorated with the Order of St. George fourth class.

Russian sailors did more than win fame for their country in battle — a good few had been taking part in voyages round the world in the early 19th century that went a long way at the time towards advancing science. Among the naval officers decorated with the length-of-service Order of St. George were explorers of truly global fame — F. F. Bellinshausen, V. M. Golovnin, I. F. Kruzenstern, M. P. Lazarev, G. A. Sarichev and F. P. Litke.

In the entire glorious history of the Russian army and navy, there were only four full Knights of the Order of St. George, that is, holders of all the four classes of the award: Field Marshal M. I. Kutuzov, M. B. Barclay de Tolly, I. F. Paskevich-Erivansky and I. I. Dibich-Zabalkansky. The great Suvorov was first decorated in 1771 with the Order of St. George third class, to which were later added two more, of the second and the first class. Likewise, Field Marshal G. A. Potemkin-Tavrichesky who had the same three awards.

During the First World War, thousands of officers were judged worthy of the Order of St. George fourth class, some of them posthumously. Among the first such heroes, «by death sanctifying their deed» — the accepted formula for posthumous decoration — was the famous Russian pilot P. N. Nesterov, the pioneer of air ramming and a man of unbelievable courage, who perished at the outset of the war on August 26, 1914.

After the February 1917 Revolution,

запечатлевших подвиг», увенчанный наградой, как писалось в приказах о посмертных награждениях, был знаменитый русский летчик П. Н. Нестеров, совершивший первый в мире воздушный таран и героически погибший в начале войны, 26 августа 1914 года.

После Февральской революции приказом Верховного Главнокомандующего А. А. Брусилова № 524 от 29 июня 1917 года было разрешено награждать офицерским Георгием солдат, исполнявших на поле боя обязанности начальника и проявивших при этом храбрость. Одновременно офицеры по решению общего собрания чинов подразделения могли за отличия удостаиваться награждения солдатским Георгиевским крестом. В обоих случаях на ленточке знака отличия добавлялась металлическая лавровая ветвь. Так и стала эта награда называться неофициально: «Георгий с веточкой». Такой крест высоко ценили в армейской среде. Офицеры должны были носить солдатский Георгий выше всех других орденов, кроме св. Георгия 4-й степени. Известен и единственный случай коллективного награждения орденом св. Георгия 4-й степени. В 1916 году этой высокой наградой была отмечена французская крепость Верден за мужество ее защитников при обороне знаменитого «верденского выступа».

Supreme Commander-in-Chief A. A. Brusilov issued Order 524 of June 29, 1917 authorising the decoration of NCOs and men displaying outstanding bravery while taking the place of commander in action with the officers' Order of St. George. The same document stated that officers could be given the soldiers' award — the St. George Gross — on merit, if such was the decision of the unit meeting. In both cases the award was complemented with a metal laurel branch worn on the ribbon. Since then, the award had been popularly known as «St. George with a bough». The Cross was highly esteemed in the Army. An officer was to wear his soldier's Cross above any other decoration except the Order of St. George fourth class. There was also recorded one case of collective decoration: in 1916, the entire garrison of Verdun defenders was awarded the high Russian Order for their unprecedented fortitude.

СОЛДАТСКИЕ ГЕОРГИЕВСКИЕ НАГРАДЫ

THE ST. GEORGE AWARDS FOR NCOs AND MEN

ЗНАК ОТЛИЧИЯ ВОЕННОГО ОРДЕНА СВ. ГЕОРГИЯ

В 1807 году учреждается Знак Отличия Военного ордена св. Георгия для награждения солдат и матросов. Это был серебряный крест без эмали. Его носили на Георгиевской черно-желтой ленте на груди. В правилах, касающихся знака отличия, указывалось: «Он приобретается только в поле сражения, при обороне крепостей и в битвах морских. Им награждаются только те из нижних воинских чинов, которые, служа в сухопутных и морских русских войсках, действительно выкажут свою отменную храбрость в борьбе с неприятелем». Заслужить знак отличия — солдатский Георгиевский крест — можно было, лишь совершив боевой подвиг, например, захватив вражеское знамя или штандарт, взяв в плен неприятельского офицера или генерала, первым ворвавшись во время штурма во вражескую крепость или при абордаже на борт боевого корабля. Получить эту награду мог и тот, кто спас в сражении жизнь своему командиру.

Награждение солдатским Георгием давало льготы отличившемуся: прибавку трети

THE BADGE OF HONOUR OF THE MILITARY ORDER OF ST. GEORGE

This award for soldiers and sailors was founded in 1807. It was in the shape of a plain silver cross attached to the St. George ribbon to be worn on the chest. The Statute specified that the award was to be given «exclusively for action on the battlefield, in fortress defence or in naval combat. Only those of men in the Russian military service on land and sea may be decorated who will display exemplary courage in fighting the enemy.» It took an act of no mean bravery in warfare to earn the St. George Cross, such as capturing an enemy standard, officer or general; entering a besieged enemy fort or falling aboard an enemy ship before all others; and other similar exploits. The Cross could also be given to a soldier who rescued his commander's life in battle.

The holders of the award were entitled to a number of privileges: their pay was a third higher, even after discharge (and when the person died, his widow could continue to draw the money for another twelve months); exemption from corporal punishment; in the

жалованья, сохранявшуюся и при выходе в отставку (после смерти кавалера его вдова в течение года пользовалась правом на ее получение); запрещение применения телесных наказаний к лицам, имеющим знак отличия ордена; при переводе кавалеров Георгиевского креста унтер-офицерского звания из армейских полков в гвардию сохранение их прежнего чина, хотя гвардейский унтер-офицер считался на два чина выше армейского.

Знак Отличия Военного ордена св. Георгия № 1 получил унтер-офицер Кавалергардского полка Егор Иванович Митрохин (Митюхин), отличившийся в бою с французами под Фридландом 2 июня 1807 года.

С самого момента учреждения Знак Отличия Военного ордена, кроме официального, получил еще несколько названий: Георгиевский крест 5-й степени, солдатский Георгий («Егорий») и другие. Солдатским Георгием № 6723 была награждена знаменитая «кавалерист-девица», героиня войны с Наполеоном Надежда Дурова, начавшая службу простым уланом.

Самые тяжелые для России годы, когда народ, движимый чувством патриотизма, вставал на защиту Отечества, отмечены и наибольшим количеством Георгиевских солдатских наград. Так, во время Отечественной войны 1812 года, в период Крымской войны 1853—1856 годов, главным эпизодом которой стала оборона Севастополя, Знаком Отличия Военного ордена были награждены десятки тысяч героев. Самым большим номером на бесстепенных знаках отличия отмечен знак, полученный за храбрость при обороне в 1854 году Петропавловска-Камчатского Петром Томасовым. Всего же бесстепенными знаками отмечен 114 421 человек, из них 1176 получили знаки, возвращенные в Капитул орденов после смерти их прежних кавалеров.

В 1839 году для солдат-ветеранов прусской армии, участвовавших в сражениях с наполеоновскими войсками в 1813—1815 годах, было отчеканено 4500 знаков, на которых в отличие от обычных Георгиевских наград на оборотной стороне на верхнем луче креста изображен вензель Александра I. Таких знаков, имевших особую нумерацию, было вручено

event of an army NCO's transfer to the Guards, his rank was preserved, although a Guards NCO rated two classes higher.

The first Badge of Honour of the Military Order of St. George was given to a Heavy Cavalry Guards NCO, Egor Ivanovich Mitrokhin (Mitiukhin), who had distinguished himself at Friedland, in the fighting against the French on June 2, 1807.

From the very start, the Badge of Honour of the Military Order of St. George had a number of aliases: the St. George Cross fifth class, Soldiers' St. George («Egory»), and some others.

The Soldiers' St. George registered as No. 6723 was handed to the female celebrity of the 1812 war — «cavalry maiden» Nadezhda Durova, who had begun her spectacular military career as a common «uhlan».

The more trying periods in Russian history, when the entire people rose to the defence of their country, have been marked by peaks in soldiers' decorations. This happened during the war with Napoleon in 1812, and in the Crimean War of 1853—1856, with the memorable defence of Sevastopol as its key episode, when tens of thousands of heroes were awarded the Badge of Honour of the Military Order of St. George. The largest registration number for classless awards was given to the Cross of one Piotr Tomasov, decorated for his bravery in the defence of Petropavlovsk-Kamchatsky in 1854. The total number of the holders of classless awards in Russia was 114,421; of them 1,176 had been given the Crosses to be returned to the Order Chapter upon the death of their original owners.

In 1839, 4,500 Crosses were manufactured for Prussian army veterans who had taken part in the war with Napoleon in 1813—1815. The Crosses had a monogram of Alexander I on the reverse side of their upper extremities, as distinct from the regulation insignia of St. George awards. Those modified crosses were awarded to 4,264 ex-soldiers, all registered separately; the remaining 236 had been melted down. Today, a monogrammed Cross of St. George is a rare curio.

In 1844, one more type of the Cross was introduced for decorating non-Christians. It bore the imperial eagle of the state emblem. Between 1844 and 1856, 1,368 people had received the award.

4264, остальные 236 пошли в переплавку. Сегодня кресты с вензелем Александра I представляют большую редкость.

В 1844 году появилась разновидность знака отличия для награждения лиц нехристианского вероисповедания. На нем помещался государственный герб — орел. С 1844 по 1856 год было вручено 1368 таких наград.

Указом от 19 марта 1856 года Знак Отличия Военного ордена был подразделен на 4 степени: 1-я, высшая степень — золотой крест на Георгиевской ленте с бантом из ленты тех же цветов; 2-я степень — такой же золотой крест на ленте, но без банта; 3-я степень — серебряный крест на ленте с бантом; 4-я степень — такой же серебряный крест, но на ленте без банта. На оборотной стороне креста указывалась степень знака и выбивался, как и раньше на степенных наградах, номер, под которым награжденный заносился в так называемый «вечный список» Георгиевских кавалеров.

Необходимость введения нескольких степеней Георгиевского солдатского креста назрела давно. Ранее солдат или матрос, получивший «Егория» и совершивший новый подвиг, подходивший под статут Георгиевской награды, отмечался лишь новой прибавкой трети жалованья. В случае совершения третьего подвига, достойного Знака Отличия Военного ордена, следовала еще одна прибавка к жалованью и давалось право носить свою награду на ленте с бантом георгиевских цветов. С введением степеней при каждом награждении стали выдавать новый знак.

По новому положению 1856 года о Георгиевском солдатском кресте награждение начиналось с низшей, 4-й степени и затем, как и при награждении офицерским орденом Георгия, выдавались последовательно 3-я, 2-я и, наконец, 1-я степень. Нумерация крестов была новой, причем отдельно для каждой степени. Носили награды всех степеней на груди в один ряд.

Уже в 1856 году солдатским Георгием 1-й степени был отмечен 151 человек — они стали полными Георгиевскими кавалерами.

Многие из них заслужили эту награду раньше, но лишь с разделением ордена на степени смогли получить видимое отличие на мундир. В последующие годы солдатский

The Decree of March 19, 1856 gave the Badge of Honour of the Military Order of St. George four classes: the first, highest, class was a gold cross on a black-and-tan ribbon with a Bow of the same colours; the second was identical to the first, except that it did not have a Bow; the third-class Cross was of silver, attached to the St. George ribbon with a Bow; the silver Cross fourth class had no Bow. The reverse side of the Cross had its class marked on it and was used, as all other classed awards, for stamping the registration number under which the name of the holder was entered in the so-called «list eternal» of the Knights of the Order of St. George.

The need for grading the award had been felt for quite some time. Formerly, when a soldier or sailor with the St. George Cross did something outstanding enough to merit a St. George decoration, his only reward was a new 30 per cent pay rise, repeated after a third act of bravery worthy of the Badge of Honour of the Military Order of St. George, with an extra prize of the Bow on the black-and-tan ribbon. With the award graded into four classes, each new instance of heroism could be marked with a special badge.

The new 1856 Statute of the Soldiers' Cross of St. George ordered decoration to start with the lowest fourth class, with the holder later promoted to the third, second and first class, if need be. A new registration system had also been introduced, where each class was registered separately. The Crosses of all classes were worn on the chest in a row.

In 1856, there were already 151 men decorated with the Soldiers' of St. George Cross first class i.e., they were holders of the full award.

A lot of them had merited this honour earlier, but while the Cross remained ungraded, they could not wear any extra decoration on the breast of their tunic in evidence of that. In the following years, the Soldiers' Cross of St. George first class was awarded even more sparingly: three times in 1857, four in 1858, and eight times in 1859. The lower classes of the Cross were naturally far more common. About 46,000 men were decorated for fighting in the Russian-Turkish War of 1877—1878, and almost 87,000 for the Russian-Japanese War of 1904—1905. The largest registration number of the pre-1913 St.

Ранний образец
(лицевая и
оборотная стороны)
Знака Отличия
Военного ордена. Без
степени.

An early type of the
Badge of Honour of
the Military Order
(obverse and reverse).
Without class.

Знак Отличия
Военного ордена
(лицевая и
оборотная стороны)
около 1831 года. Без
степени.

Badge of Honour of
the Military Order
(obverse and reverse)
circa 1831. Without
class.

Знак Отличия
Военного ордена
эпохи Крымской
войны 1853—1856 гг.

Badge of Honour of
the Military Order of
the period of the
Crimean War 1853–
1856.

знак отличия 1-й степени выдавали уже реже: в 1857 году — 3 раза, в 1858 — 4, в 1859 — 8 раз. Низшие степени креста выдавались, естественно, значительно чаще. За русско-турецкую войну 1877—1878 годов было выдано примерно 46 тысяч Георгиевских солдатских крестов разных степеней, за русско-японскую войну 1904—1905 годов — около 87 тысяч. Самый большой номер из выданных до 1913 года знаков отличия 1-й степени был 1825, 2-й — 4320, 3-й — 23 605, 4-й — 205 336.

Появилась и новая разновидность знака для иноверцев, имевшая также 4 степени. С 1856 по 1913 год, когда «мусульманский» вариант награды был упразднен, знак 1-й степени получили 29 человек (их знаки попадают в первые 100 номеров), самые большие номера из выданных знаков 2-й степени — 269, 3-й — 821, 4-й — 4619. Первым полным кавалером знака отличия для иноверцев стал юнкер милиции 2-го Дагестанского конно-иррегулярного полка Лабазан Ибрагим Халил-оглы.

В 1913 году был утвержден новый статут Знака Отличия Военного ордена. Он стал официально называться Георгиевским крестом, и нумерация знаков с этого времени началась заново. Солдатский Георгий 1-й степени № 1 получил в самом начале мировой войны, осенью 1914 года, подпрапорщик Никифор Климович Удалых, спасший знамя 1-го Невского пехотного полка. В 1914 году, с началом мировой войны, количество награждений Георгиевскими крестами резко возросло. К 1917 году (уже с новой нумерацией) 1-я степень была выдана около 30 тысяч раз, а 4-я — более 1 миллиона!

Статутом 1913 года не предусматривалось награждение иноверцев особыми знаками с изображением орла. Само название «Георгиевский» предполагало изображение на кресте св. Георгия. К тому же, часто сами мусульмане требовали, чтобы их награждали знаками не с орлом, а с «джигитом» (св. Георгием).

Так как в 1913 году нумерация Георгиевских крестов началась заново, возникает трудность в отличии знаков, выданных до 1913 года, от крестов с такими же номерами, но полученных после утверждения нового Георгиевского статута. Имеется различие, позволяющее точно

George Gross first class was 1825; there had been 4,320 second-class awards, 23,605 of the third-class and 205,336 of the lowest fourth-class variety.

Non-Christians were also given a new, graded, award in four classes. From 1856 till 1913, the year of abolishing the «Muslim» version of the Cross, the first-class badge had been given to twenty-nine people (all registered among the first 100); the largest registration numbers for a second-, third- and fourth-class badge were 269, 821 and 4,619 respectively. The first holder of the full-size non-Christian award was a Militia Junker of the 2nd Daghestan Irregular Cavalry Regiment, Labazan Ibrahim Khalil-Ogli.

In 1913, the old Statute of the Badge of Honour of the Military Order or St. George was replaced by a new one. There the award was officially termed the St. George Cross, and registration was again begun from No. 1. The Soldiers' St. George Cross first class under that number went to NCO Nikifor Udalikh, decorated in the autumn of 1914 for rescuing the standard of the 1st Nevsky Infantry Regiment. 1914, the first year of the Great War, saw a sharp rise in the number of decorated men. By 1917 (under the 1913 registration regulations), the St. George Cross first class had been awarded nearly 30,000 times, while the number of holders of the fourth-class Cross had exceeded 1,000,000!

The 1913 Statute did not mention any special eagle-bearing insignia for decorating non-Christians. The very name of St. George obviously implied the Saint's representation on the badge. Besides, Muslims quite often demanded to be given a badge with a «jigit» («gallant horseman», i.e., St. George) on it, and not with a bird.

Since in 1913 registration of the St. George Crosses began anew, there is danger of confusing the pre- and post-1913 Crosses with identical registration numbers. However, one feature may be of help in telling apart the Crosses with no more than five-digit numbers. After 1913 such Crosses had the «No.» placed before the figure. But six-digit numbers were stamped without the «No.», which makes dating difficult in the case of fourth-class Crosses whose number is less than 205336 (see above). Obviously, any cross with a larger

определить кресты с номерами не более пятизначного. На таких крестах, выданных после 1913 года, помещался значок «№» перед порядковой цифрой. На крестах с шестизначными номерами значка не было, и это затрудняет определение времени выдачи крестов 4-й степени с номерами менее 205 336 (см. выше). Естественно, что если крест 4-й степени имеет номер больший, чем 205 336, он относится к серии после 1913 года.

В связи со значительным увеличением числа присуждаемых знаков отличия, в том числе и Георгиевских солдатских крестов, в условиях подорванной войной экономики возник вопрос об уменьшении содержания драгоценных металлов в солдатских наградах. В июне 1915 года было опубликовано распоряжение об изготовлении Георгиевских крестов 1-й и 2-й степеней (золотых) с содержанием в них 600 частей золота (из 1000 частей), серебра — 395 частей и меди — 5 частей. В крестах 3-й и 4-й степеней содержание серебра оставалось прежним — 990 частей. На золотых крестах, изготовленных из нового сплава, стали помещать особое клеймо — небольшой круглый знак на оборотной стороне.

Когда число выданных Георгиевских крестов 4-й степени достигло миллиона, было решено помещать на верхнем луче оборотной стороны знака обозначение «1/М» (один миллион), а остальные цифры порядкового номера награды — по-прежнему на горизонтальных лучах. При этом в номерах меньше шестизначных впереди ставились нули, чтобы общее число цифр было равно шести. Например, на знаке с порядковым номером 1 002 250 выбивались лишь цифры 002 250 на горизонтальных лучах, а обозначение «1/М» отчеканивалось еще при изготовлении самого знака на Монетном дворе.

В октябре 1916 года было принято решение о замене золота и серебра, употреблявшихся при изготовлении орденских знаков и медалей, иными, недрагоценными металлами, лишь повторяющими цвета золота и серебра (белый и желтый). На новых Георгиях стали ставить дополнительные обозначения «ЖМ» (желтый металл) и «БМ» (белый металл). Их чеканка началась лишь в

registration number ought to be referred to the post-1913 period.

As the number of badges of honour, not excepting Soldiers' Crosses of St. George, had rocketed, the ailing economy of the war-drained Russia was simply not up to minting ever more precious-metal decorations. So, in June 1915, a resolution was published to reduce the content of gold in the St. George Cross first and second class to 60 per cent, adding 39.5 per cent of silver and 0.5 per cent of copper to the alloy. Third- and fourth-class crosses had their silver content unchanged — 99 per cent. The gold crosses made under new regulations were marked with a small circular stamp on the reverse side.

When the number of fourth-class crosses had reached a million, it was decided to put a «1/M» mark signifying «one million» on the reverse side of the upper termination of the cross, with the other digits that made up its index number stamped on the horizontal bars, as before. All less-than-six-digit numbers had noughts in front of them, to bring up the total of the number signs to six. For example, a cross registered as No. 1002250, had only «002250» stamped on its horizontal bars, as the Mint had already marked the badge with the «1/M» sign.

In October 1916, they had to stop using gold and silver in medal-making altogether; the non-precious metals used instead were chosen so as to achieve imitation effect. The new St. George Crosses were marked «YM» (yellow metal), or «WM» (white metal). The first of those did not appear until February 1917. There were 10,000 St. George Crosses first class (YM) — Nos. 32481 to 42480; 20,000 second class (YM) awards — Nos. 65031 to 85030; 49,500 third-class crosses (WM) — Nos. 289151 to 338650; and 89,000 fourth-class (WM) badges — Nos. 1210151 to 1299150.

The War Office Order 532 of August 19, 1917 introduced a minor alteration in the design of the St. George awards — the ribbon was to be decorated with a metal laurel branch. Soldiers were supposed to decide who of those distinguishing themselves in action ought to be given a cross; and it could well be an officer getting a soldiers' cross with a «bough», and a private acting as commander (according to the Order of July 28, 1917) — an officers' St. George, likewise with a branch attached to its ribbon.

феврале 1917 года. Георгиевских крестов 1-й степени «ЖМ» насчитывалось 10 000 (№№ с 32 481 по 42 480), 2-й степени «ЖМ» — 20 000 (№№ с 65 031 по 85 030), 3-й степени «БМ» — 49 500 (№№ с 289 151 по 338 650), 4-й степени «БМ» — 89 000 (№№ с 1 210 151 по 1 299 150).

Приказом по военному ведомству № 532 от 19 августа 1917 года был утвержден рисунок несколько измененного образца Георгиевской награды — на ленту креста положена металлическая лавровая ветвь. Отличившиеся в военных действиях награждались такими крестами по решению солдат, причем офицер мог быть отмечен солдатским крестом с «веточкой», а рядовой в случае исполнения обязанностей начальника (приказ от 28 июля 1917 года) — офицерским Георгием тоже с прикрепленной к ленте ветвью.

В сентябре 1917 года изготовление «веточек» еще не было налажено на Монетном дворе, потому что, как сообщалось в Капитул орденов, «ювелирные работы не составляют специальности медальной части (Монетного двора.— В. Д.)». Военное ведомство попробовало делать «веточки» не металлические, а шитые (до нас дошли пробные экземпляры), но это оказалось делом дорогим и сложным. И все же выпуск металлических «веточек» был налажен, хотя выдача их продолжалась недолго, и поэтому Георгиевские кресты с «веточкой» представляют сейчас значительную редкость.

Многие советские военачальники, начинавшие трудную военную школу еще в огне первой мировой войны, были Георгиевскими кавалерами. Среди них Г. К. Жуков, Р. Я. Малиновский и многие другие. Все четыре солдатских креста имели герои гражданской войны С. М. Буденный, И. В. Тюленев, В. И. Чапаев. В годы Великой Отечественной войны солдаты, принимавшие участие в первой мировой войне, с гордостью носили рядом с советскими наградами полученные много лет назад Георгиевские знаки отличия. А полный Георгиевский кавалер донской казак К. И. Недорубов за отличия в боях с фашистами был удостоен звания Героя Советского Союза.

In September 1917, the Mint had still not begun making «boughs» because, as they reported to the Chapter of Orders, «ornament-fashioning is not a speciality of the Mint». The War Office attempted to have «boughs» embroidered instead (a few sample specimens have survived to this day), but it proved to be both costly and difficult. And yet, a quantity of metal «boughs» had been made, but the practice of awarding crosses with a «bough» was short-lived, and they are extremely rare as a result.

A lot of the Soviet military leaders who had received the baptism of fire on the battlefields of the First World War, were holders of St. George awards, among them G. K. Zhukov, R. Y. Malinovsky and many others. Civil War heroes S. M. Budenny, I. V. Tiulenev, V. I. Chapaev had a complete set of the soldiers' Crosses of St. George. During the war of 1941—1945, former First World War participants proudly sported their old St. George badges next to the Soviet military awards. And a holder of the full St. George Cross, Cossack K. I. Nedorubov, was given the title of the Hero of the Soviet Union for his daring in the fight against German units.

THE «FOR GALLANTRY» ST. GEORGE MEDAL

The word «gallantry» was a common legend on 18th- and early 19th-century medals. In the first half of the 19th century medals bearing that inscription began to be made of gold and silver. They were designed for rewarding war exploits of natives in the Caucasus and in Asian parts of Russia, and were also given to non-military individuals, such as medical orderlies, for example, who had acted bravely in combat. Men and women alike could be recipients of the award. Thus, a seaman's widow, Daria Tkach, was given a silver «For Gallantry» medal on a St. George ribbon, by the personal order of Admiral P. S. Nakhimov, for her outstanding performance during the defence of Sevastopol at the time of the Crimean War. Another recipient of a similar medal was the twelve-year-old son of a seaman, Maxim Ribalchenko, who had carried ammunition to

ГЕОРГИЕВСКАЯ МЕДАЛЬ «ЗА ХРАБРОСТЬ»

Слово «храбрость» повторялось неоднократно на наградных медалях XVIII — начала XIX веков. В первой половине XIX века появились наградные медали, чеканившиеся в золоте и серебре, с надписью «За храбрость». Эти медали предназначались в награду за боевые подвиги местным жителям Кавказа и азиатской России, а также лицам, не имеющим воинского звания, но проявившим отвагу на поле боя, например, санитарам. Могли получить этот знак отличия и женщины. Так, по личному указанию адмирала П. С. Нахимова во время обороны Севастополя серебряной медалью «За храбрость» на Георгиевской ленте была награждена вдова матроса Дарья Ткач за отличие при обороне черноморской твердыни. Заслужил медаль и двенадцатилетний сын матроса Максим Рыбальченко, подносивший под вражеским огнем ядра на русские артиллерийские позиции.

Во время кавказских войн середины XIX века, в Крымскую и русско-турецкую войну 1877—1878 годов, на Кавказском театре военных действий местным уроженцам, состоявшим в иррегулярных частях, выдавались медали с надписью «За храбрость», золотые и серебряные, двух размеров — большие для ношения на шее и малые — в петлице. Эти же награды продолжали выдавать за военные заслуги лицам, не имеющим воинского звания. Золотая шейная медаль была пожалована в Крымскую войну городскому голове Ейска «за деятельные распоряжения под огнем неприятеля при спасении казенного имущества и больных во время бомбардировки города англо-французской эскадрой» в 1855 году. Серебряная медаль «За храбрость» была дана обер-лоцману Нарвского порта «за необыкновенное мужество при отражении нападения союзников 6 июня 1855 года на укрепленную позицию при устье Наровы». Серебряные медали «За храбрость» для ношения на груди получили за 1853—1856 годы 68 лиц — мещане, крестьяне, а также 24 волонтера-грека.

Награждение бесстепенными медалями «За храбрость» разного достоинства

the Russian artillery position under enemy fire.

At the time of the Caucasus wars in the mid-1800s, of the Crimean War and the Russian-Turkish War of 1877—1878, natives who served in irregular troops on the Caucasian theatre of operations were awarded «For Gallantry» medals, gold or silver, of two sizes. The larger ones were to be worn around the neck, the smaller ones — in the buttonhole. The same type of medal was used for decorating persons without military rank. A larger gold medal was given to the Mayor of Yeisk for his «efficient management of the rescue of municipal property and invalids under enemy fire, as the city was shelled by the Anglo-French squadron», during the Crimean War in 1855. The senior pilot of the Narva port was decorated with a «For Gallantry» silver medal «for exceptional mettle in repulsing an allied attack on the fortified position in the Narova River estuary on June 6, 1855». From 1853 till 1856, smaller silver medals «For Gallantry», to be worn on the chest, had been awarded to 68 persons — townspeople, peasants, and also twenty-four Greek volunteers.

Classless «For Gallantry» medals of various denominations did not go out of use till much later. Thus, in the Russian-Japanese War of 1904—1905, dozens of people, mostly nurses and orderlies, were decorated with smaller gold and silver medals worn on the breast. And there was but a single instance of awarding a larger silver neck medal to a nurse whose work during the defence of Port Arthur had been truly remarkable.

In 1878 was instituted a «For Gallantry» medal in four classes for the lower ranks of the frontier guards, army and navy to reward courage in battle while guarding the border. The gold medal of the first class was attached to a St. George ribbon with a Bow; the second-class medal, also gold, had no Bow; the third-class medal was silver, with a Bow — a feature absent in the silver medal of the fourth class. All medals were worn in a row, after the St. George Cross. The reverse side bore the index number, separate for each class.

The new 1913 Statute gave the «For Gallantry» medal in four classes the official title of the St. George Medal; it could be awarded to any man of lower rank, whether

продолжалось и в дальнейшем. Так, за русско-японскую войну 1904—1905 годов были вручены десятки золотых и сотни серебряных нагрудных медалей, в основном сестрам милосердия и санитарам. И лишь одна серебряная шейная медаль — особо отличившейся при защите Порт-Артура сестре милосердия.

В 1878 году учреждается медаль «За храбрость» четырех степеней для нижних чинов пограничной стражи, армии и флота за боевые отличия при исполнении обязанностей пограничной службы. Медаль 1-й степени была золотой на ленте георгиевских цветов с бантом, 2-й — золотая, но без банта, 3-й — серебряная с бантом и 4-й — серебряная без банта. Носились все медали в ряд после Георгиевских крестов. На оборотной стороне медалей выбивался порядковый номер, отдельно для каждой степени.

По новому статуту 1913 года медали «За храбрость» четырех степеней получили официальное название «Георгиевских» и могли быть выданы любому нижнему чину армии и флота за подвиги в военное или мирное время. Медаль могла быть пожалована и лицам гражданским за боевые отличия в военное время. С 1913 года началась новая нумерация Георгиевских медалей, отдельно по каждой степени, как и у Георгиевских крестов.

Интересный случай произошел в самом начале мировой войны. Осенью 1914 года сестра милосердия Генриетта Сорокина, находясь в плену, «сокрыла на себе» и затем спасла знамя 6-го пехотного Либавского полка, за что в ноябре 1914 года была награждена Георгиевской медалью 4-й степени. Но, учитывая значение подвига, командование представило Сорокину к награждению медалями и остальных степеней. Таким образом, смелая сестра милосердия была отмечена сразу четырьмя наградами. Медали 1-й и 2-й степеней были с порядковыми номерами «1».

Во время первой мировой войны Георгиевские медали, как и Георгиевские кресты, стали изготовлять из недрагоценных металлов, и на них также стали помещать буквы «ЖМ» и «БМ». Георгиевские кресты Временного правительства по внешнему виду ничем не отличались от царских наград; Георгиевские же медали, на лицевой стороне

in the army or the navy, for distinguishing himself in battle or under peace-time conditions. The same medal could be given to civilians on merit. Since 1913 registration of the St. George Medal, like that of the St. George Cross, was begun anew, separately for each class.

A remarkable episode occurred at the very start of the First World War. In autumn 1914, nurse Henrietta Sorokina, who had been taken prisoner by the Germans, «concealed on her person» and then rescued the standard of the 6th Libava Infantry Regiment, which earned her the St. George Medal fourth class, awarded in November 1914. But the Command believed her deed was worth more than that, and Ms Sorokina was decorated with the other three classes of the award. Her medals of the first and second class were both registered under No. 1.

In the course of the First World War precious-metal decorations were replaced by cheaper substitutes, and St. George medals and crosses made of base metals were marked «YM» or «WM». The St. George Cross manufactured under the Provisional Government was an exact replica of the pre-1917 badge, while the St. George Medal, with the Emperor's head on the face side, was something of an embarrassment under the circumstances. They had found a way out minting the medals the wrong side up. And that was not the most drastic thing, by far. Thus, the 9th Army Corps Commander reported on March 27, 1917 that «the soldiers of the 9th Corps Radio and Telegraph Section refused to wear the St. George medals with the Emperor Nicolas II on them and offered to donate the medals for war needs».

Yet, even though the Emperor-bearing medal was uniformlly resented, courage in fighting still had to be rewarderd in some way. A new medal was urgently needed. Already on April 6, the acting Chief of Staff of the Supreme Commander-in-Chief reported to the War Minister that «the Commander-in-Chief of the Western Front Armies recommended substitution of a representation of the Holy Martyr and Hero St. George for the ex-Emperor Nicolas II on the St. George Medal. The idea has my full endorsement.

New St. George medals, with the mounted Saint instead of Nicolas II, did not cause a break in general registration. There were 8,000

которых до февраля 1917 года изображался портрет императора, не могли чеканиться с прежним рисунком. Выходили из положения, повернув награды оборотной стороной наружу. Отмечались и более радикальные поступки в этом направлении. Например, в рапорте командира IX армейского корпуса, датированном 27 марта 1917 года, сообщается: «Солдаты IX корпусного радиотелеграфного отделения, не желая носить пожалованных им Георгиевских медалей с изображением бывшего императора Николая II, решили пожертвовать их на нужды войны».

Но при повсеместном нежелании солдат носить награды с портретом Николая оставалась необходимость продолжать награждения за отличия на фронте. Нужны были медали с новыми изображениями. Уже 6 апреля исполняющий обязанности начальника штаба Главковерха сообщал военному министру: «Главнокомандующий армиями Западного фронта ходатайствует о замене изображения на Георгиевских медалях, вместо портрета бывшего императора Николая II, изображением св. Великомученика и победоносца Георгия. Со своей стороны поддерживаю означенное ходатайство».

На новых Георгиевских медалях (без нарушения общей нумерации) портрет Николая II был заменен изображением св. Георгия Победоносца на коне. Таких медалей было отчеканено: 1-й степени 8000 (№№ с 24 292 по 32 291), 2-й — 14 000 (№№ с 48 455 по 62 454), 3-й — 28 000 (№№ с 263 791 по 291 790), 4-й — 65 000 (№№ с 1 289 051 по 1 354 050).

В Советской Армии славные боевые традиции предков нашли героическое продолжение. Не забыты и Георгиевские награды. В 1943 году был учрежден солдатский орден Славы трех степеней, статут которого напоминает положение о Георгиевском солдатском кресте. Орден Славы также имеет ленту черно-оранжевых цветов, как и солдатский Георгий. Члены экипажей гвардейских боевых кораблей военно-морского флота носят бескозырки с лентами, повторяющими «Георгиевские» цвета. На такой же ленте — медаль «За победу над Германией в Великой Отечественной войне 1941—1945 гг.».

such medals of the first class (Nos. 24292 to 32291); 14,000 medals of the second class (Nos. 48455 to 62454); 28,000 third-class awards (Nos. 263791 to 291790); and 65,000 medals of the fourth class (Nos. 1289051 to 1354050).

The Soviet Army has kept up our forebears' tradition of heroism. Nor have the St. George decorations been forgotten. In 1943 was instituted the soldiers' Order of Glory in three classes, whose Statute echoes that of the St. George Cross for soldiers. The Soviet decoration is likewise furnished with a black-and-tan ribbon. Crew members of the Guards men-of-war in the Navy wear caps with bands of the «St. George» colours. The same kind of ribbon is fixed to the Victory Medal given for «Victory over Germany in the Great Fatherland War, 1941—1945».

НАГРАДНОЕ

ОРДЕНСКОЕ

ОРУЖИЕ

THE DECORATION

SIDE-ARMS

Первое достоверно известное награждение холодным оружием в русских регулярных войсках относится к петровской эпохе. 27 июня 1720 года русский галерный флот под командованием генерала князя М. М. Голицына разгромил шведскую эскадру у острова Гренгам. Победители были щедро награждены — все офицеры получили золотые медали, унтер-офицеры и боцманы — серебряные, солдаты и матросы — деньги «по морскому регламенту». М. М. Голицыну была «в знак воинского его труда послана шпага золотая с богатым украшением алмазов».

В архивных материалах содержатся сведения о десятках награждений холодным оружием с бриллиантами (алмазами), относящиеся ко второй и третьей четвертям XVIII века. Заметим сразу, что речь идет не о подарках, а о наградах, причем исключительно боевых, предназначавшихся лишь для военнослужащих. Отмеченные оружием включались, как правило, в общие списки награжденных «чинами, шпагами и кавалериями (т. е. орденами.— В.Д.)».

14 февраля 1740 года, когда праздновалось заключение мира с Турцией после войны 1735—1739 годов, раздавались награды высокопоставленным военным и гражданским чинам — ордена, миниатюрные портреты императрицы, предназначенные для ношения, деньги, чины, драгоценные сервизы и золотые шпаги, украшенные бриллиантами. Последняя награда давалась исключительно полководцам, отличившимся в военных действиях.

Шпагами, украшенными бриллиантами, награждали за отличие и в русско-шведской войне 1741—1743 годов. Сохранились императорские грамоты к пожалованным шпагами на имя Я. Кейта, Ф. Штофельна, П. Салтыкова, А. де Брильи, В. Лопухина и фон Ливена, текст которых дает основание считать врученное им оружие не подарками, а боевыми наградами. Так, в грамоте Ф. Штофельну говорится: «Господин генерал-поручик. За ваши верные службы и в бывшую последнюю с шведами войну прилежные труды всемилостивейше жалуем вас шпагою, которую при сем посылаем. 24 июня 1744 года».

10 июля 1775 года, когда праздновалась годовщина победоносного Кучук-Кайнарджийского мира, завершившего

The first mention of a cold-steel award in the Russian regular army appears at the time of Peter the Great. On June 27, 1720, the Russian galley fleet, under the command of General Prince M. M. Golitsin, defeated a Swedish squadron at Gröngam. The victors were generously rewarded: all officers got gold medals, NCOs and bosuns were given silver medals, while men were paid lump sums of money in «accordance with the Sea Regulations». M. M. Golitsin was presented with a «gold sword with rich diamond ornamentation in reward for his war effort».

The archives are full of records of awarding cold steel decorated with diamonds which was a fairly common practice in the second half of the 18th century. I would like to stress that those were indeed instances of decoration and not of present-giving; moreover, it was decoration on merit, involving exclusively servicemen. Persons thus honoured were normally listed with other recipients of «higher ranks, swords and knighthoods (i.e., orders — *V. D.*)».

On February 14, 1740, when peace with Turkey after the 1735—1739 war was being celebrated, higher military and civilian officials were given orders of merit, miniatures of the Empress to be worn on the dress, money, promotion, valuable dinner sets and gold swords studded with diamonds. The latter award was reserved exclusively for military leaders who had distinguished themselves in battle.

Diamond-ornamented swords were given on merit during the Russian-Swedish war of 1741—1743. There are deeds signed by the Emperor that went with the swords conferred on G. Keith, F. Stofeln, P. Saltikov, A. de Brilly, V. Lopukhin and von Lieven, whose wording definitely suggests that the arms in question were not a gift but a military decoration. Thus Lieutenant-General F. Stofeln's document reads: «Sir, your faithful services and diligent labours as of the past war with the Swedes have merited Our benevolent bestowal of a sword on you, which sword We are sending with this letter. 24 June of the year 1744.»

On July 10, 1775, the day of festivities to mark the first anniversary of Russia's triumph in the Russian-Turkish War terminating in the Kuchuk-Kainarja peace treaty, eleven most celebrated military leaders who had scored

русско-турецкую войну, одиннадцать самых выдающихся военачальников, одержавших решающие победы в этой войне, были отмечены шпагами, украшенными алмазами. В их числе были А. М. Голицын, выдающийся русский полководец П. А. Румянцев, генералы П. И. Панин, В. М. Долгоруков, А. Г. Орлов, Г. А. Потемкин, генерал—поручики А. В. Суворов и А. А. Прозоровский и генерал-майор П. С. Потемкин.

В литературе встречаются утверждения, что на шпагах, выданных в награду в 1775 году, помещались надписи, рассказывающие, за что получено оружие. При этом приводятся в качестве текстов подобных надписей соответствующие места из Указа о награждениях. Такая ссылка имеется в дореволюционной Военной энциклопедии, в статьях о некоторых из перечисленных выше лиц. Вероятно, отсюда это положение перешло и в современные издания. Например, в книге «А. В. Суворов и его современники» сообщается, что А. М. Голицын был «нагрожден шпагой с алмазами и надписью «За очищение Молдавии до самых Ясс». Против этого свидетельствует генерал А. А. Прозоровский, который в рапорте о награждении недвусмысленно сообщает, что у него и у других военачальников, отмеченных оружием в 1775 году, шпаги не имели никаких надписей, потому что «таковых в тогдашнее время еще введено не было».

Награждениями за русско-турецкую войну 1768—1774 годов заканчивается первый период развития истории отечественного золотого оружия. К этому времени каждое получение шпаги отмечается особым рескриптом на имя награжденного, отличие заносится в послужной список получившего награду.

До 1788 года наградные шпаги получали лишь генералы, причем оружие было всегда украшено драгоценными камнями. В ходе военных действий конца 80-х годов право быть отмеченным этой наградой было распространено и на офицеров, с той только разницей, что они получали шпаги без дорогих украшений. Вместо этого на эфесе офицерской наградной шпаги появляется с 1788 года надпись «За храбрость».

За отличия в боях с турками в 1788 году в районе Очакова было выдано

decisive victories in the war were awarded diamond-studded swords. Among them were A. M. Golitsin, one of Russia's most outstanding army commanders P. A. Rumiantsev, Generals P. I. Panin, V. M. Dolgorukov, A. G. Orlov, G. A. Potemkin, Lieutenant-Generals A. V. Suvorov and A. A. Prozorovsky, and Major-General P. S. Potemkin.

Some sources maintain that decoration swords given in 1775 had inscriptions on them to state the reason for giving the award. For text samples they cite relevant fragments from the Decree on Decoration. For example, a note to this effect is found in the pre-revolutionary Military Encyclopaedia, in several of the biographies of the above-mentioned persons. This must have prompted compilers and authors of a number of the more recent publications to repeat the allegation. Thus, the book «A. V. Suvorov and His Contemporaries» informs us that A. M. Golitsin was «decorated with a sword with diamonds inscribed 'For cleansing Moldavia even to Jassy'». This is contradicted by A. A. Prozorovsky who unequivocally states in his report about decoration that neither he nor any other military leader awarded side-arms in 1775 had legends on their swords as «none were made at the time as yet».

A series of decorations for the Russian-Turkish War of 1768—1774 closes the first period in the history of gold weapons in Russia. About that time every instance of conferring a sword on a person was accompanied by an imperial rescript to the recipient and an entry in his personal file.

Prior to 1788, only generals could be awarded swords, invariably jewel-encrusted. In the late 1780s, officers distinguishing themselves in the wars of the time also got the right to that kind of award, except that the swords given to them were plain and carried a «For Gallantry» legend on the hilt.

After the battle of Ochakov in 1788, thirty-five gold swords were conferred on the outstanding fighters, eight of them with diamonds, and the rest inscribed «For courage displayed in combat at the Lagoon of Ochakov». Apparently, the length of the legend dictated its position on the blade of the sword. Another set of fourteen «For Gallantry» gold

35 золотых шпаг, в том числе восемь украшенных бриллиантами, остальные офицерские с надписью «За мужество, оказанное в сражении на лимане Очаковском». Вероятно, оттого что надписи были довольно пространные, их поместили на клинках. Одновременно с наградным оружием за бои на Очаковском лимане были сделаны еще 14 «для отличившихся в морской баталии шпаг золотых с надписью «За храбрость». Этой морской баталией был бой 6 июля 1788 года у острова Гогланд на шведском театре военных действий, когда русская эскадра под командованием адмирала С. К. Грейга встретилась с примерно равной по силам шведской эскадрой. Награждения эти представляют для нас особый интерес потому, что здесь впервые появляются на золотых шпагах надписи «За храбрость». Пространные надписи на «очаковском» наградном офицерском оружии так и остались единственным эпизодом.

На турецком фронте военные действия продолжались до осени 1791 года. Главным событием кампании стало взятие штурмом под руководством А. В. Суворова мощной турецкой крепости Измаил. Штурм состоялся 11 декабря 1790 года, а уже 8 января императрице были представлены первые списки отличившихся.

Наряду с орденами и чинами генералы и офицеры представлялись к наградному оружию. По нашим данным, за штурм Измаила было выдано три экземпляра золотого оружия с бриллиантами и двадцать четыре — без бриллиантов. Все шпаги и сабли имели на обеих сторонах эфеса надпись «За храбрость».

Последний известный нам случай награждения золотым оружием в XVIII веке относится к 1796 году, когда знаменитый донской командир Матвей Иванович Платов, имевший тогда армейский чин бригадира, был награжден за Персидский поход золотой саблей с алмазами «За храбрость». Поход был прерван в связи с вступлением на престол Павла I и изменением внешней политики России и остался «персидским» лишь по названию. В павловское же время золотое оружие «За храбрость» не было выдано ни разу. В течение XVIII столетия наградное золотое оружие было выдано

swords was made at roughly the same time for «those distinguishing themselves in the sea battle». The sea battle referred to was the fight of July 6, 1788 on the Swedish theatre of operations, when the Russian squadron led by Admiral S. K. Greig clashed with its Swedish equal near Hogland Island. Those decorations are of particular interest to us, as the gold swords were the first of their kind to bear the «For Gallantry» legend. So that the verbosity of the «Ochakov» officer swords remained but an isolated episode.

At the Turkish front operations continued till the autumn of 1791. The focal point of the entire campaign was the storming of the formidable Turkish fortress of Izmail by the Russian troops with A. V. Suvorov at the head. The assault occurred on December 11, 1790, while on January 8 the Empress was already given the first lists of the heroes. Apart from getting orders of merit and promotion, generals and army officers were also awarded arms. As far as I know, the Izmail episode had been followed by the conferment of three gold swords with diamonds, and twenty-four without. Every sword and sabre had the «For Gallantry» legend on either side of the hilt.

The last known case of awarding a gold sabre in the 18th century occurred in 1796, when the famous Cossack commander Matvei Ivanovich Platov, then a Brigadier, was decorated for the Persian campaign. His sabre, ornamented with diamonds, also had the «For Gallantry» legend on it. The campaign had been aborted with the enthronement of Paul I and a change in the Russian foreign policy, so the name of «Persian» is something of a misnomer. In the reign of Paul I not a single case of awarding a «For Gallantry» gold sword was recorded. There had been nearly 300 such cases throughout the 18th century, of which over eighty swords were of the diamond variety.

The practice was resumed in the reign of Alexander I, though. Numerous swords and sabres with the «For Gallantry» legend were conferred on Russian officers and generals after the wars against France in 1805 and 1806—1807. Their names are the pride of the Russian military history: P. I. Bagration,

примерно триста раз, в том числе более восьмидесяти раз — украшенное бриллиантами.

Награждения золотым оружием возобновились с воцарением Александра I. Шпаги и сабли «За храбрость» за войны с французами 1805 и 1806—1807 годов заслужили многие русские офицеры и генералы. Их имена — гордость отечественной военной истории: П. И. Багратион, Д. В. Давыдов, Д. С. Дохтуров, А. П. Ермолов... Первым из сражений XIX века, отличившимся участникам которого выдавалось золотое оружие, был бой при Аустерлице. Золотые шпаги и сабли вручались тем из офицеров, которые °в сложнейшей ситуации не потеряли хладнокровия и своими умелыми и храбрыми действиями уменьшили потери русской армии.

28 сентября 1807 года подписан указ о причислении офицеров и генералов, награжденных золотым оружием «За храбрость», к кавалерам русских орденов. Фамилии лиц, получивших золотое оружие, должны были вноситься в общий кавалерский список Капитула орденов Российской империи. Указ фиксировал уже фактически ранее установившееся положение, по которому награждение золотым оружием становилось выше получения некоторых орденов. К этому времени окончательно определился внешний вид русского наградного оружия. Золотое оружие для офицеров имело надпись на эфесе «За храбрость», генеральское и адмиральское украшалось бриллиантами, причем на оружии для генерал-майоров (и равных им морских чинов) обычно помещалась такая же надпись «За храбрость», а для генерал-лейтенантов и выше — более пространная, объясняющая причину награждения.

В 1811 году отмечено всего лишь 19 награждений золотым оружием, в основном за турецкую войну и за отличия на Кавказе. Но уже в следующем, 1812 году, цифра резко увеличивается до 241 человека. Началась Отечественная война, и сотни русских офицеров и генералов заслужили на ее полях эту почетную награду. Среди получивших «генеральское» бриллиантовое оружие были герои 1812 года П. П. Коновницын,

D. V. Davidov, D. S. Dokhturov, A. P. Ermolov, etc. The first battle to have yielded a crop of gold arms awards was fought near Austerlitz. Gold swords and sabres were given to those officers who, in the most adverse circumstances, had managed to keep their head and minimise Russian casualties by their apt and courageous actions.

On September 28, 1807, there appeared a Decree which ranged the officers and generals decorated with «For Gallantry» gold side-arms with holders of Russian orders of merit. Their names were to be entered in the general knighthood lists of the Chapter of Orders of the Russian Empire. The Decree merely said in so many words what had been in evidence for quite some time—the social prestige of a gold weapon award had been higher than that of at least some of the orders of merit. By then all the main features of the Russian decoration side-arms had been established. Officers' gold swords and sabres had the «For Gallantry» legend on the hilt; those of generals and admirals were ornamented with diamonds, with the same «For Gallantry» legend on the hilt of the swords given to major-generals (and their naval counterparts), while the weapons for lieutenant-generals and higher ranks were inscribed with a more detailed explanation of the reason for giving the award.

In 1811, there were only nineteen cases of awarding gold arms, mostly for exploits in the Turkish War and in the Caucasus. But just a year later, in 1812, the figure leapt to 241. The war with Napoleon had begun, and hundreds of Russian officers and generals were valiantly fighting on its battlefields. Among the recipients of the generals' diamond-studded swords were the 1812 War heroes P. P. Konovnitsin, M. A. Miloradovich, N. V. Ilovaisky, A. P. Ozharovsky, V. V. Orlov-Denisov, F. F. Steingel, A. I. Bistrom, N. I. Depreradovich and many others. Ivan Semenovich Dorokhov who had the rank of lieutenant-general had got his for storming the heavily fortified town of Vereya on September 29, 1812; the sword was decorated with diamonds and bore the legend «For Liberating Vereya». There were a few more weapons of a similar description—with diamonds and explanatory legends.

Thus, M. B. Barclay de Tolly was awarded

Золотое наградное
оружие
«За храбрость»,
украшенное
бриллиантами.

*Presentation gold
side-arms
«For Gallantry»
adorned with
diamonds.*

Золотое оружие
«За храбрость» —
гусарская сабля,
принадлежавшая
генералу
Я. П. Кульневу.

*Gold side-arms
«For Gallantry», a
Hussar sabre owned
by General
Y. P. Kulnev.*

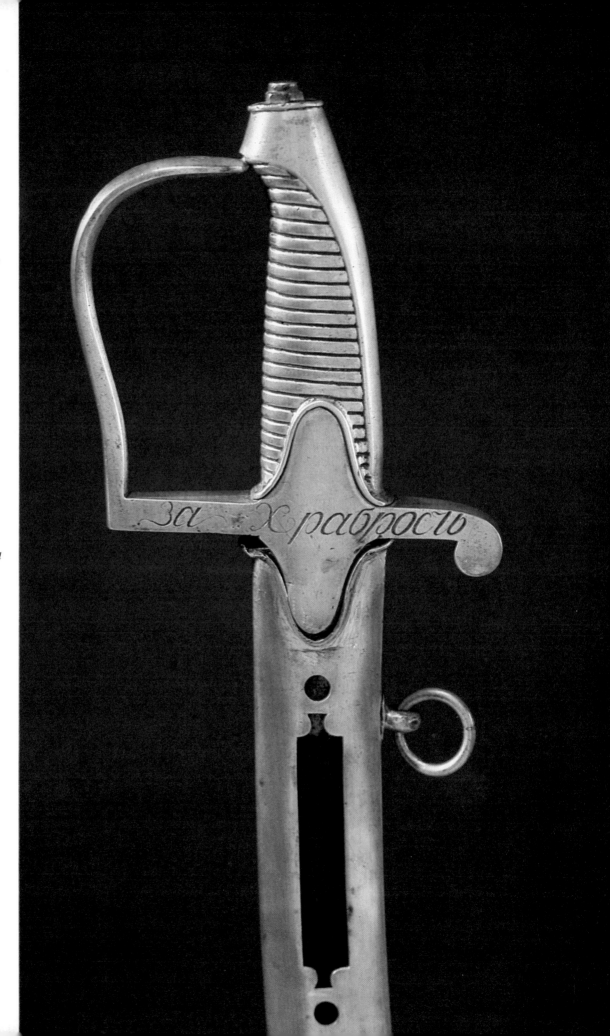

Золотое оружие
«За храбрость» —
шпага, полученная
генерал-майором
И. Н. Дурново за
отличие при
Суассоне в 1814 году,
о чем и сообщается
в надписи на чашке
шпаги.

Gold side-arms
«For Gallantry», a
sword awarded to
Major-General
I. N. Durnovo for
feats of arms at
Soissons in 1814

Золотое оружие
«За храбрость» —
шашка, полученная
князем
А. И. Барятинским
в 1850 году за
отличия в боевых
действиях на
Кавказе.

Gold side-arms
«For Gallantry», a
cavalry sabre awarded
to Prince
A. I. Bariatinsky in
1850 for feats of
arms in the Caucasus.

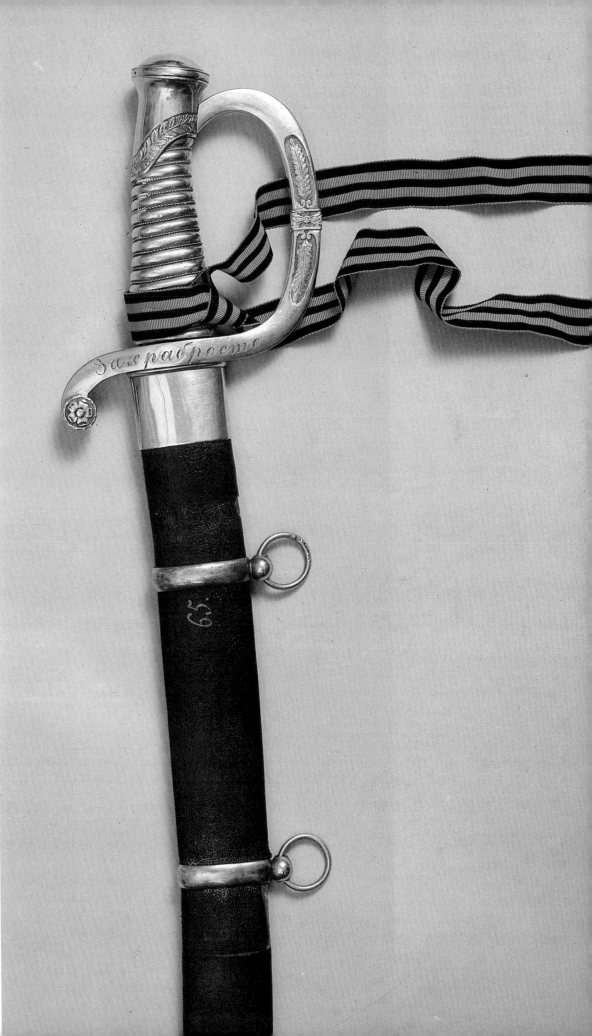

Золотое оружие
«За храбрость» —
шпага с
миниатюрным
Знаком ордена
св. Георгия,
заменяющая в строю
украшенное
бриллиантами
генеральское оружие
«За храбрость».

*Gold side-arms
«For Gallantry», a
sword with a small
badge of the Order of
St. George, which
substituted, while in
combat order, for the
general's side-arms
«For Gallantry»
adorned with
diamonds.*

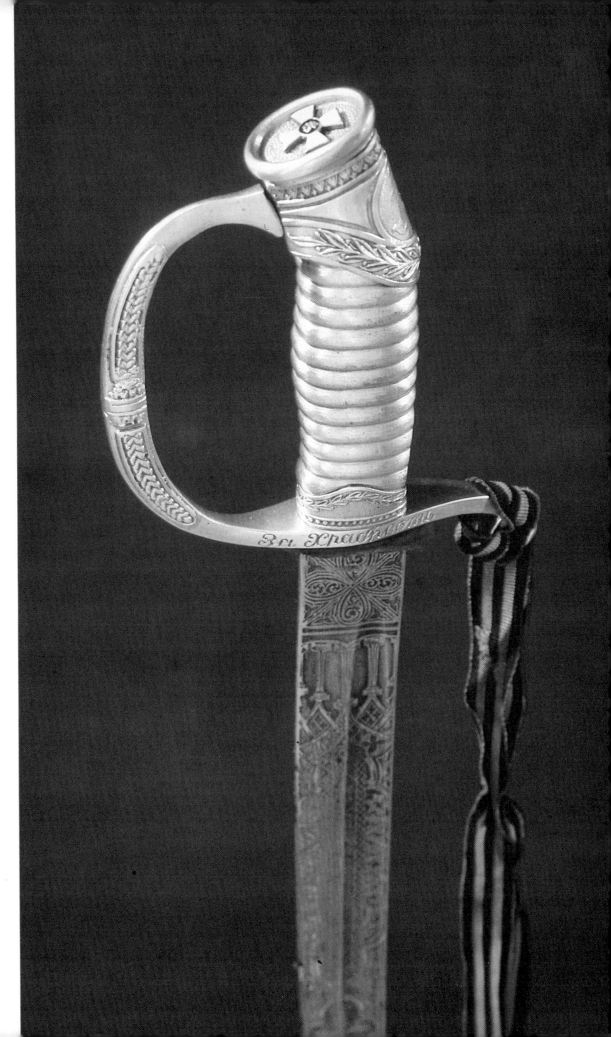

Золотое Георгиевское оружие «За храбрость» — шашка со Знаком ордена св. Георгия и Георгиевским темляком.

Gold side-arms «For Gallantry», a cavalry sabre with a badge of the Order of St. George and a sword-knot of the colours of the St. George ribbon.

М. А. Милорадович, Н. В. Иловайский, А. П. Ожаровский, В. В. Орлов-Денисов, Ф. Ф. Штейнгель, А. И. Бистром, Н. И. Депрерадович и многие другие. Иван Семенович Дорохов, имевший чин генерал-лейтенанта, за взятие штурмом укреплений Вереи 29 сентября 1812 года был награжден золотой шпагой с алмазами и надписью «За освобождение Вереи». В этот период известны еще несколько награждений оружием, украшенным бриллиантами, с надписями, объясняющими причину его пожалования.

Так, М. Б. Барклай-де-Толли получил золотую шпагу с алмазными лаврами и надписью «За 20 января 1814 года» (сражение при Бриенне). Для цесаревича Константина была заказана золотая шпага с алмазами и надписью в шпажной чашке «За поражение неприятеля при Теплицах в 17 и 18 дни августа 1813 года», ценою в 26 000 рублей. Генералу от кавалерии герцогу Александру Виртембергскому была вручена золотая шпага с лаврами и бриллиантами с надписью «За покорение Данцига», взятого после длительной осады русскими войсками в конце 1813 года.

Некоторые офицеры и генералы награждались золотым оружием неоднократно. Так, Алексей Петрович Никитин в 1812 году, будучи полковником конной артиллерии, получил золотую шпагу «За храбрость», а в 1813 и 1814 годах, уже имея генеральский чин, дважды награждался золотыми шпагами с бриллиантами.

Михаил Илларионович Кутузов за 1812 год, помимо других многочисленных наград, был отмечен 16 октября золотой шпагой с алмазами и дополнительными украшениями в виде изумрудных лавровых венков. Формально награда была дана за Тарутинское сражение 6 октября 1812 года. Но это была лишь малая награда за мудрое руководство всеми вооруженными силами государства в один из самых тяжелых периодов в его истории. В Грамоте, полученной М. И. Кутузовым по случаю награждения золотой шпагой, было сказано: «Сей воинственный знак, достойно вами стяжанный, да предшествует славе, какою по искоренении всеобщего врага увенчает вас отечество и Европа». Есть документ, удостоверяющий, что наградная шпага ценою

a gold sword with a pattern of diamond laurels inscribed «For January 20, 1814» (the date of the battle of Brienne). The sword ordered for Tsarevich Konstantin had diamonds and a legend inside the sword-quard saying «For defeating the enemy at Teplice on the days of August 17 and 18 of the year 1813»; the total cost of the weapon was 26,000 rubles. General of the Cavalry Alexander, Duke of Wirtemberg, was awarded a gold sword decorated with laurels and diamonds whose legend said «For the Conquest of Danzig», a city taken by the Russian troops at the very end of 1813 after a long and arduous siege.

Some officers and generals had been decorated more than once. Thus, Alexei Petrovich Nikitin received a gold «For Gallantry» sword in 1812, in the rank of cavalry colonel, and then two more, in 1813 and 1814, already in the rank of general, this time with diamonds.

Mikhail Illarionovich Kutuzov was given a whole collection of awards for his part in the rout of Napoleon in 1812, among them a gold sword with diamonds and an extra ornament of emerald laurel wreaths conferred on him on October 16, 1812. Formally, the award was a tribute for the battle of Tarutin of October 6, 1812. But in fact the decoration was a token of Russia's admiration for his clever handling of the entire Russian army at one of the most critical periods in the country's history, and a disproportionately small award at that. The deed that accompanied the conferment justly stated that «this martial sign of Your high merit shall be but a harbinger of the glory which Russia and Europe will bestow on You upon the final destruction of the common enemy». There is a document certifying that the honorary sword priced at 25,125 rubles, had been presented to «His Grace».

Most of the gold weapons were then given to officers and had no additional diamond ornamentation. For the battle of Borodino alone seven officers had received «For Gallantry» swords; they were the future Decembrists Warrant Officer P. I. Pestel, Lieutenant A. F. Briggen, 2nd Lieutenant A. A. Kavelin, Warrant Officer P. N. Semenov, Cavalry Staff Captain M. S. Lunin, 2nd Lieutenant M. F. Mitkov and

в 25125 рублей была вручена «его светлости».

Основная масса золотого оружия в эту эпоху выдавалась офицерам и не имела бриллиантовых украшений. Только за Бородино, в ряду прочих, золотыми шпагами «За храбрость» были награждены семь офицеров — будущих декабристов: прапорщик П. И. Пестель, поручик А. Ф. Бригген, подпоручик А. А. Кавелин, прапорщик П. Н. Семенов, штаб-ротмистр М. С. Лунин, подпоручик М. Ф. Митьков и прапорщик В. Ф. Раевский. В сражениях Отечественной войны еще 18 будущих декабристов заслужили золотые шпаги. Среди них — С. Г. Волконский, В. Л. Давыдов, А. Н. Муравьев, С. И. Муравьев-Апостол, И. С. Повало-Швейковский (дважды), П. С. Пущин, М. М. Спиридов, М. А. Фонвизин...

19 марта 1855 года, в разгар Крымской войны, появился указ «Об установлении более видимого отличия для золотого оружия и ордена св. Анны четвертой степени за военные подвиги». Этим указом предписывалось при золотом оружии без алмазных украшений носить темляк из Георгиевской черно-оранжевой ленты. Так как в Крымской войне участвовало много русских военных моряков, то ряд указов обращен непосредственно к ним и трактует, в частности, разные вопросы получения и ношения наградного оружия. Указами определялась форма ношения орденских темляков на флотском холодном оружии, правила нанесения на золотых флотских саблях и палашах надписи «За храбрость» (на двух ободах эфеса). Крымская война дала новые примеры мужества и высокого воинского умения русских солдат и офицеров. Золотое оружие было выдано 456 раз. За один лишь 1855 год золотым офицерским оружием были награждены 227 человек.

Схожесть ордена св. Георгия и золотого оружия по характеру отмечаемых подвигов и по уважению, которое вызывали кавалеры наград, привела к тому, что в год столетнего юбилея ордена св. Георгия — в 1869 году особым указом от I сентября все лица, награжденные золотым оружием, были причислены к кавалерам этого ордена, и старшинство их считалось сразу после получивших орден св. Георгия IV степени.

Warrant Officer V. F. Raevsky. Other battles of the 1812 Patriotic War produced eighteen more holders of gold swords who were to become Decembrists: S. G. Volkonsky, V. L. Davidov, A. N. Muraviev, S. I. Muraviev-Apostol, I. S. Povalo-Shveikovsky (decorated twice), P. S. Pushchin, M. M. Spiridov, M. A. Vonwiesin, etc.

On March 19, 1855, at the height of the Crimean War, was published a Decree On the Introduction of More Noticeable Distinction in the Gold Side-Arms and the Order of St. Anne Fourth Class, Given on Merit. The Decree ordered that a sword-knot of a black-and-tan St. George ribbon be worn on the gold side-arms without diamonds. As the Crimean War involved the navy on a fairly large scale, a series of decrees were aimed at sailors, specifying also various matters pertaining to the getting and wearing of decoration side-arms. There were strict rules for wearing sword-knots on the naval cold steel, for engraving the «For Gallantry» legend on naval gold swords and broadswords (on both rims of the hilt). The Crimean War had revealed a new wealth of courage and battle skill in Russian servicemen. Gold side-arms were awarded to 456 people. Within a single year, 1855, 227 officers were given honorary gold swords.

There was an obvious affinity between the Order of St. George and gold side-arms, as both were awarded for the same kind of meritorious actions and both were held in high esteem in society. In recognition of this, a special decree of September 1, 1869, issued on the occasion of the centenary of the Order of St. George, ruled that all holders of gold side-arms be regarded as Knights of the said Order, and their award be ranked immediately after the Order of St. George fourth class. The decree had not come as a surprise. Gold side-arms holders already had the right to reduced service terms for qualifying for the length-of-service Order of St. George; later their privileges included a permission to wear a black-and-tan sword-knot of the St. George ribbon, and in 1859 they were allowed to continue wearing uniform upon discharge, even if they had not completed the necessary service term (something only holders of the Order of St. George had had the right to do).

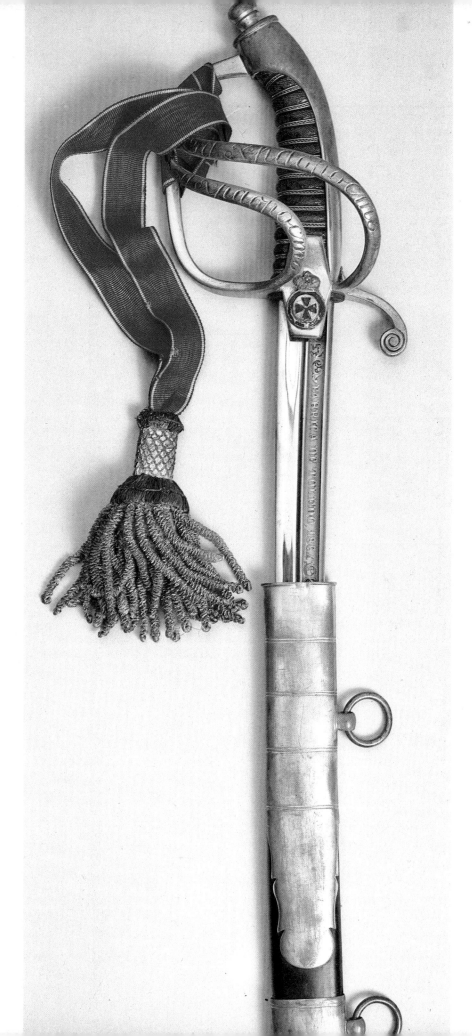

Низшая степень
ордена
св. Анны — Аннинское
оружие «За
храбрость».

The lowest class of
the Order of St. Anne,
St. Anne side-arms
«For Gallantry».

Орден св. Анны
4-й степени
«За храбрость» —
морской палаш,
полученный
мичманом
М. Щербатовым за
отличие в русско-
турецкой войне
1877—1878 гг.

Order of St. Anne
4th Class «For
Gallantry», a naval
broadsword awarded
to Midshipman
Sherbatov for feats of
arms during the
Russo-Turkish War of
1877—1878.

Этот акт не был неожиданным. До указа имеющие золотое оружие сначала получили право на уменьшение срока службы для получения ордена св. Георгия, затем разрешение носить темляк золотого оружия из черно-оранжевой Георгиевской ленты, а в 1859 году им было позволено носить в отставке военный мундир, если даже они не выслужили необходимого для этого срока (что до этого разрешалось лишь имевшим орден св. Георгия). Кавалеры золотого оружия, в том числе и украшенного бриллиантами, никогда не подвергались денежным вычетам, как и Георгиевские кавалеры. К столетнему юбилею ордена св. Георгия общее число офицеров, пожалованных золотым оружием «За храбрость», составляло 3384 человека, а оружием с драгоценными украшениями, кроме того, еще 162 человека.

Ко времени причисления золотого оружия к ордену св. Георгия все основные законодательные акты, касающиеся награждения оружием, уже были опубликованы и в своей основе не менялись до конца существования Российской империи. В «Положении о наградах по службе», утвержденном в 1859 году, о наградном оружии было сказано: золотое оружие могут получить офицеры от прапорщика до генерала включительно, но в обер-офицерских чинах лишь уже удостоенные Анны IV степени «За храбрость» или Георгия IV степени. Золотое оружие для офицеров носится с темляком из Георгиевской ленты, а для генералов — украшается алмазами и носится без темляка[1]. Кавалеры золотого оружия, украшенного бриллиантами, в случаях, когда они носят оружие без украшений (как правило, в строю или во время военных действий), для видимого отличия должны были, по Высочайшему повелению от 11 марта 1878 года, повторенному приказом по военному ведомству № 64 того же года, носить на оружии Георгиевский темляк, а на эфесе, кроме того, уменьшенный эмалевый крест ордена св. Георгия. Крест этот должен был прикрепляться у шпаги на чашке, у

[1] Ношение золотого оружия с алмазами без темляка было установлено еще 1 января 1832 года.

Bearers of gold side-arms, both plain and diamond-studded, were never subjected to money deductions — a privilege they shared with owners of the Order of St. George. By the St. George Order centenary, the total number of officers awarded gold «For Gallantry» side-arms had reached 3,384, while the diamond-ornamented swords had been given to 162 people.

All legal acts regulating side-arms conferment had been adopted by the time it was decided to range gold-weapons holders with bearers of the Order of St. George, and remained virtually intact till the collapse of the Russian Empire. The Awards in Service Act of 1859 said that gold side-arms could be conferred on officers from warrant officer to general inclusive, though junior officers (below the rank of staff captain) had to be holders of the Order of St. Anne «For Gallantry» (fourth class) or of the Order of St. George fourth class as well. Officers' side-arms were worn with a sword-knot of the black-and-tan ribbon, those for generals had diamond ornamentation and were worn without the sword-knot.[1] Holders of diamond-studded side-arms, by the Emperor's order of March 11, 1878, were required to attach a black-and-tan sword-knot to their weapon, and fix a smaller replica of the enamelled St. George Cross to the hilt, whenever the sword was to be worn without its jewels (e.g., in formation or in combat conditions). This was confirmed by the War Office Oder No. 64 of the same year. Both documents specified the place for the St. George Cross — the guard of the sword, the hilt-head of the sabre or the dragoon sword, and the hilt-tip of the broadsword.

During the 1877—1878 war between Russia and Turkey many more people were decorated with side-arms. There were thirty-five persons awarded diamond-ornamented gold swords, among them several big names in Russian military history (I. V. Gurko, F. F. Radetsky and M. D. Skobelev). The number of

[1] The wearing of gold side-arms ornamented with diamonds without a sword-knot was ordered as early on as January 1, 1832.

сабли и драгунской шашки — на головке эфеса, у палаша — на наконечнике грифа.

В ходе русско-турецкой войны 1877-1878 годов появилось много новых кавалеров наградного оружия. Золотым оружием с бриллиантами было награждено 35 человек, в частности такие знаменитые полководцы, как И. В. Гурко, Ф. Ф. Радецкий, М. Д. Скобелев. Офицерское золотое оружие получили около шестисот человек. Среди получивших золотой кортик «За храбрость» был лейтенант С. О. Макаров, будущий выдающийся флотоводец и ученый, в то время скромный командир парохода «Константин». Во время войны «Константин» стал грозой для турецкого флота. Приспособленный по предложению Макарова для перевозки катеров с шестовыми минами, а позднее вооруженный торпедами, пароход провел несколько успешных атак крупных кораблей врага. За одну из таких атак, в которой был подорван турецкий корвет, и был награжден С. О. Макаров золотым оружием.

На протяжении XIX столетия и до 1913 года формально все золотое оружие должно было иметь эфесы из золота, сначала 72-й пробы, а с 3 апреля 1857 года — 56-й пробы. Но в собрании ГИМа имеются экземпляры золотого оружия, выданные в 1807, 1810, 1877 годах и позднее, эфесы которых лишь позолочены. По положениям, многократно подтвержденным, золотое оружие, как украшенное бриллиантами, так и без оных, выдавалось награжденному бесплатно. Лишь золотое оружие с Георгиевским крестиком, носящееся вместо оружия с бриллиантами, приобреталось самими награжденными. Объяснить эту особенность, когда отличившийся имел нестатутное золотое оружие, можно, скорее всего, экономией самого награжденного, который часто получал с грамотой не само оружие, а лишь деньги, в которые оценивалась казной стоимость награды, и мог распорядиться полученной суммой по своему усмотрению. Известны расценки Златоустовской оружейной фабрики на работы по переделке обычного строевого холодного оружия в орденское: «За присадку к эфесам знаков орденов: св. Анны — 2 р. 25 коп., св. Георгия — 5 р. 50 коп. Надпись на эфесе

decorated officers was naturally much higher: nearly 600 people became recipients of gold side-arms; one of those was Lieutenant S. O. Makarov, decorated with a gold dirk «For Gallantry», who would eventually make history as a fleet commander and a scholar, but who at the time was a modest captain of the steamer «Konstantin».

The ship had been the terror of the Turks. Makarov began by having the steamer fitted up for transporting mine-carrier launches; later the vessel was armed with torpedoes and several times made short work of enemy ships. It was after one of those attacks, in which a Turkish corvette had been blown to pieces, that S. O. Makarov received his gold dirk.

Throughout the 19th century, till 1913, all decoration weapons were required to have gold hilts, originally of 18-carat and after April 3, 1857 — of 14-carat gold. But there are specimens of gold side-arms in the collection of the State History Museum, made in 1807, 1810 and 1877, whose hilts are only gilded. According to Statute regulations, borne out by countless other acts and rules, gold weapons — with or without diamonds — were given to the recipient free of charge. The only variety he had to pay for was the gold side-arms with a small St. George Cross to be worn instead of the diamond sword. The one reasonable explanation for this curious fact seems to be the thrift of the recipient who often got not the sword itself but a sufficient sum of money to cover the costs of buying one. What he did with the money was his own business — hence the cheap decoration weapons in the Museum collection. The Zlatoust catalogue of the time offers a number of jobs to make ordinary cold steel into decoration side-arms. The prices are nothing like exorbitant: to fix an order badge to the hilt cost 5 rubles 50 kopeks for the Order of St. George and a mere 2.50 for St. Anne; the «For Gallantry» legend could be engraved on the hilt for a trifling sum of 75 kopeks; and to have the weapon gilded one was required to pay 4 rubles 50 kopeks. Several of the surviving specimens, though, have hilts made of solid gold which proves that when the recipient was particularly high-ranking, he was normally spared the trouble of ordering his award from an armourer shop.

In 1913 the Order of St. George was given

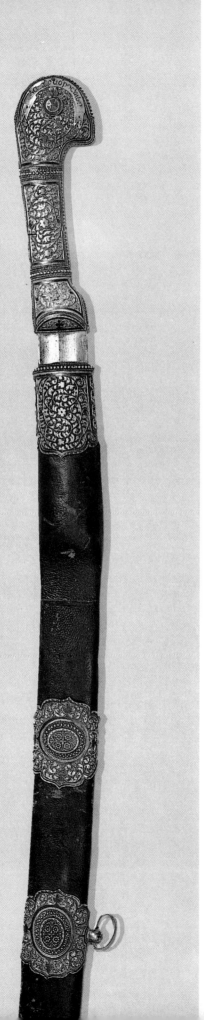

Кавказская шашка со
знаком ордена
св. Анны
4-й степени
«За храбрость».

*Cavalry sabre of the
Caucasian type with a
badge of the Order of
St. Anne 4th Class
«For Gallantry».*

Знаки ордена
св. Анны
4-й степени
«За храбрость» для
христиан и для
иноверцев.

*Badges of the Order
of St. Anne 4th Class
«For Gallantry» for
Christians and non-
Christians.*

Шашка с нетрадиционным способом крепления к эфесу знака ордена св. Анны 4-й степени «За храбрость».

Cavalry sabre with a badge of the Order of St. Anne 4th Class attached to its hilt in an unusual way.

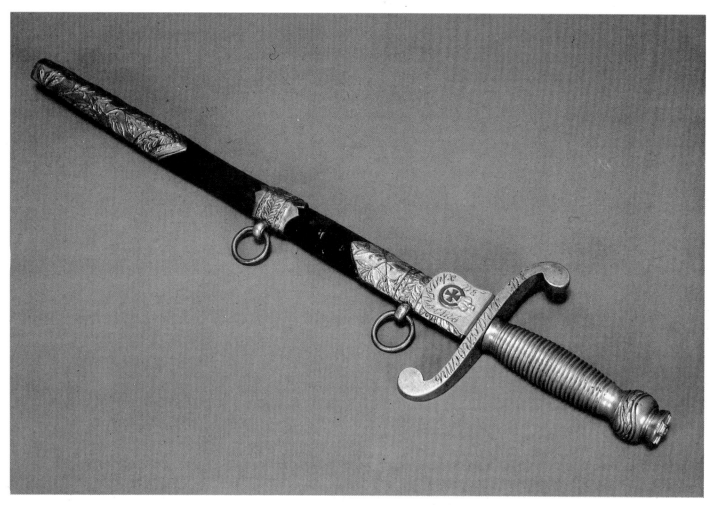

*Морской кортик —
одновременно
Золотое Георгиевское
и Аннинское
«За храбрость»
наградное оружие.*

*Naval dirk,
presentation gold
St. George, and at the
same time St. Anne,
side-arms
«For Gallantry».*

«За храбрость» — 75 коп. Отделка оружия на манер золотого — 4 р. 50 коп.». Дошли до нас и экземпляры оружия с эфесами из золота, свидетельствующие о том, что в случаях, когда награждали высокопоставленное лицо, не решались обременять его хлопотами, связанными с заказом знака отличия.

В 1913 году, когда появился новый статут ордена св. Георгия, причисленное к этому ордену золотое оружие получило новое официальное название — Георгиевское оружие и Георгиевское оружие, украшенное бриллиантами. Маленький эмалевый крестик ордена св. Георгия стал помещаться на всех видах этого оружия, с той лишь разницей, что на оружии с бриллиантами крестик также украшался драгоценными камнями. На генеральском оружии надпись «За храбрость» заменялась указанием на подвиг, за который пожалована награда. С этого времени эфес у Георгиевского оружия официально не золотой, а лишь позолоченный.

Георгиевское оружие с бриллиантами давалось по личному усмотрению императора, а без бриллиантов — по решению Дум, состоявших из кавалеров этого оружия. Георгиевское оружие не могло быть «жалуемо в качестве очередной боевой награды или же за участие в определенных периодах кампаний или боях, без наличия несомненного подвига». Впервые в истории наградного оружия подробно перечисляются подвиги, за которые можно его получить. В сухопутных войсках, например, Георгиевским оружием мог быть награжден тот, кто захватит или удержит до конца сражения важный пункт неприятельского расположения, кто личным примером доведет до удара холодным оружием подразделение не менее роты, кто с опасностью для жизни спасет знамя или штандарт и доставит его из плена, кто с явной опасностью для жизни уничтожит неприятельскую переправу... Включен в перечень и пункт, который раньше, до начала военного воздухоплавания, был немыслим. Георгиевское оружие мог получить тот, «кто, управляя воздухоплавательным прибором, проникнет с опасностью для жизни в район неприятельского расположения и тем даст возможность произвести разведку такового и доставит своевременно сведения особой

a new Statute; the latter mentioned decoration weapons associated with the Order under the official name of the St. George Side-Arms, and the St. George Side-Arms with Diamonds. The miniature St. George cross now went with all types of these weapons, the only difference being that the cross fixed on the hilt of a diamond sword was jewelled, while the other variety of weapons was to have a plain enamel badge. The generals' side-arms had an inscription explaining why the award had been given, instead of the simple «For Gallantry» legend. Also, under the new regulations, all St. George side-arms were to have a gilt, and not a gold, hilt.

The St. George side-arms with diamonds were awarded at the Emperor's discretion; the plain variety was given by the Duma (Council) made up of the holders of the award. The St. George side-arms could not «be conferred on a person merely as another award on merit, unless his battle exploit was of a truly outstanding nature». An inventory of such exploits, for the first time included in a statute, listed seizing and holding till the battle was over a key point of the enemy positions; setting an example to a unit, no smaller than a company, in using cold steel; risking one's life to rescue a standard or to bring it back from captivity; destroying an enemy floating bridge at one's risk, etc., for the ground troops. There was also one point prompted by the advent of military aerostatics, unthinkable in former times. The St. George side-arms could be conferred on someone who, «while navigating an airborne device, penetrates into the enemy positions, at a risk to his life, and so reconnoitres the said positions and supplies timely information of major importance which may exert a favourable influence on the development of subsequent operations».

The Statute has a special section on the navy. A naval officer or admiral was worthy of the award, if he repulsed an attack of an enemy submarine; while commanding an advance-or rear-guard action, withstood the pressure of a superior enemy force; laid a mine-field in the enemy rear at an obvious risk to his personal safety; and other acts of similar nature. There was also an important amendment stating that «he who will perform

важности, пользование которыми существенно повлияет на успешный ход дальнейших операций».

Особый раздел в статуте посвящен флоту. Морской офицер или адмирал заслуживал Георгиевское оружие, если, командуя авангардом, или в арьергардном бою сдержит натиск превосходящих сил противника, отразит атаку неприятельской подводной лодки, с явной опасностью для себя поставит в тылу противника минное заграждение, и за другие подвиги. Важным пунктом статута было уточнение, что тот, «кто, совершая подвиг, достойный награждения Георгиевским оружием, не мог довести оный до конца за ранением», все равно заслуживает его.

В истории первой мировой войны Георгиевское оружие стало одним из почетных знаков отличия и одновременно массовым видом наград. По своему значению оно шло сразу после ордена св. Георгия IV степени. Характерно, что орденом св. Георгия в годы войны в некоторых случаях награждали посмертно, что его статутом не предусматривалось. Посмертное же награждение Георгиевским оружием за один только 1915 год в архивных документах значится 57 раз.

За год военных действий с января по декабрь 1916 года были отмечены Георгиевским оружием 2005 лиц, трое из них — оружием, украшенным бриллиантами. Получил его и генерал А. А. Брусилов за свой знаменитый «брусиловский прорыв» на возглавлявшемся им Юго-Западном фронте. На шашке была надпись: «За поражение австро-венгерских армий на Волыни, в Буковине и Галиции 22—25 мая 1916 г.». Некоторыми указами утверждается присуждение Георгиевского оружия десяткам человек. Так, 5 марта 1916 года сразу 162 отличившихся офицера стали обладателями этой награды.

Февральская революция практически не внесла изменений в порядок пожалования наградным оружием. Был лишь несколько изменен его вид. Распоряжением предписывалось «на эфесах и клинках офицерского оружия вензелей императоров впредь не делать, оставляя гладкий овал на месте вензеля на эфесе». (До этого все, носившие офицерское холодное оружие, должны были иметь на эфесе и клинке

an act of courage worthy of awarding the St. George side-arms, but will be unable to complete one for reasons of infirmity caused by a wound», would be given the award notwithstanding.

In the history of the First World War there were few types of decoration that could rival the St. George side-arms in prestige and also in the numbers of recipients. It was rated immediately after the Order of St. George fourth class. Incidentally, the Order of St. George was sometimes awarded posthumously, which was not envisaged by its Statute. But that was rather an exception. While the St. George side-arms had been awarded posthumously fifty-seven times in 1915 alone, as follows from the records kept in archives.

Within one year of hostilities, from January to December 1916, the St. George side-arms had been conferred on 2,005 persons, three of whom received diamond-ornamented weapons. Among the latter was General A. A. Brusilov decorated for his fabled breakthrough on the South-Western front that had been given his name. The inscription on his sword read: «For defeating the armies of Austria-Hungary in Volyn, Bukovina and Galicia in May 22—25, 1916». Occasionally, a single decree would confer the arms by the dozen. Thus, on March 5, 1916, as many as 162 heroic officers were awarded the St. George side-arms.

The revolution of February 1917 had left the arms-conferment procedure virtully unchanged. The few alterations were to do exclusively with details of design. It was ordered to «abstain from now on from marking the Emperor's monogram on the hilts and blades of the officers' side-arms, leaving a plain oval in its place» (until that time all carriers of officers' cold steel were to have the monogram of the emperor in whose reign they had been given their first officer rank engraved on the hilt and the blade of their arms).

There was a curious order issued in February 1918 by the military district of Petrograd aimed at disarming the general public in possession of both fire-arms and cold steel: «Taking into consideration numerous requests by the former holders of the St. George side-arms that they be allowed to keep them in memory of their fighting in the war,

вензель императора, в чье царствование они получили первый офицерский чин).

Любопытный приказ был издан в феврале 1918 года по Петроградскому военному округу в связи с тем, что у населения изымалось оружие, как огнестрельное, так и холодное: «Вследствие поступающих ходатайств бывших кавалеров Георгиевского оружия о разрешении хранить таковое как память участия в войне, в дополнение Приказа по округу от 15 января сего года № 9 объявляю для сведения и руководства, что военнослужащие, награжденные в прошедших кампаниях за боевые отличия Георгиевским оружием, имеют право хранить таковое у себя, как память участия в войне, по разрешениям штаба округа. Главнокомандующий войсками ПВО Еремеев».

in addition to Order No. 9 of this January 15, I declare for the information of all authorities concerned that servicemen decorated on merit in past campaigns with the St. George side-arms have the right to keep same as in memory of their participation in the war, by the District HQ's permission. Commander-in-Chief of the Petrograd Military District Forces, Eremeev».

ОРДЕН
СВ. ВЛАДИМИРА

THE ORDER

OF ST. VLADIMIR

22 сентября 1782 года по случаю двадцатилетия царствования императрицы Екатерины II был учрежден новый российский орден, получивший имя св. Владимира. Сын киевского князя Святослава Игоревича Владимир прославился как полководец и государственный муж, много сделавший для объединения и укрепления единого древнерусского государства. Отголосками его энергичных действий по защите южных и юго-западных границ Руси стали былинные «заставы богатырские», а сам он в народных преданиях неизменно упоминается как Владимир Красное Солнышко.

Важнейшим событием отечественной истории стало крещение Руси — введение христианства как государственной религии, начатое при князе Владимире в 988—989 годах. За это деяние православная церковь причислила его к лику святых. Но Владимир был канонизирован не просто как святой, а как «равноапостольный» — равный святым апостолам, большинство которых, по преданию, были учениками самого Христа.

Орденом святого равноапостольного князя Владимира, как он официально стал именоваться, могли награждать и за военные заслуги, и за гражданские отличия. Он подразделялся на четыре степени. Низшая, четвертая степень, представляла собой небольшой крестик под красной эмалью (по-русски — финифтью) с черной и золотой каймой. В центральном круглом медальоне на лицевой стороне помещалось на черном, также эмалевом, фоне изображение горностаевой мантии под великокняжеской короной. На мантию положен вензель «СВ» (святой Владимир). В медальоне на оборотной стороне — дата учреждения ордена «22 сентября 1782 г.». Носить знак 4-й степени надлежало на узкой ленточке красного цвета с черной каймой первоначально в петлице, позднее — на левой стороне груди.

Если такой же крест носили на шее, он обозначал более высокую, третью степень. Крест (знак ордена) 2-й степени также носили на шее, но он был несколько большего размера. К тому же при знаке ордена Владимира 2-й степени на левой стороне груди носилась орденская звезда, имевшая восемь лучей, четыре из которых

September 22, 1782, the twentieth anniversary of the enthronement of Catherine II, was marked by the institution of a new Russian Order of merit named after St. Vladimir. Vladimir, the son of the ancient Russian ruler Sviatoslav Igorevich, was a legendary warrior and statist who had undertaken the enormous task of unifying and strengthening Old Russia. The «gate-keeper heroes» of Russian folklore are an echo of his energetic work to defend Russia's border in the South and South-West; while the great ruler himself appears in most folk tales and legends under the name of Vladimir the Bright Sun.

Perhaps the most important event in the country's history was the Baptism of Russia — when Christianity was established as the official religion of the state — initiated by Prince Vladimir in A. D. 988—989. For that he was canonised by the Russian Orthodox Church. But Vladimir's sainthood was of a far higher order than most saints', for he had been equalled to an apostle upon canonisation and thus raised to the level of Christ's disciples.

The Order of the Apostolic Saint Prince Vladimir — its full official title — could be given as both a military and civil order of merit. It was in four classes. The lowest fourth-class badge was in the form of a smallish cross in red enamel with a black-and-gold rim. The face side of the badge had a round medallion in the centre bearing a representation of an ermine mantle on a black-enamel field surmounted by a princely crown. The mantle was marked with an «SV» monogram (St. Vladimir). The medallion of the reverse side bore the date of the Order's foundation — September 22, 1782. The badge of the fourth class was to be worn on a narrow red ribbon with a black edge. Originally, the award had to be worn in the buttonhole, but later the buttonhole was discarded in favour of the left breast. A similar cross worn on the neck belonged to the higher, third, class. The cross of the second class, also worn on the neck, was a little larger. Also, the second-class insignia included an eight-rayed star of the Order, with four golden and four silver rays, for wearing on the left breast. The round medallion in the centre of the star bore a four-pointed gold cross in a black field. Between the cross points were the letters

были золотыми, а четыре — серебряными. В центральном круглом медальоне звезды изображался четырехконечный золотой крест на черном фоне. Между концами креста помещались золотые буквы «СРКВ» (святой равноапостольный князь Владимир). Вокруг центрального медальона отделенная золотым ободком располагалась легенда — девиз ордена: «Польза, честь и слава». Первая, высшая степень ордена Владимира состояла также из звезды и знака, но крест носили на широкой ленте через правое плечо. Награждения производились, естественно, от низшей степени к высшей. Но в практике бывали случаи «перескакивания» через одну и даже две, а то и три степени.

Ограничения числа кавалеров каждой из четырех степеней ордена не вводилось, ибо, как говорилось в его статуте, «в оный принимаемы будут столько, сколько окажется достигающих его качествами и трудами». Низшую, четвертую степень могли получить и пробывшие в течение 35 лет в классных чинах, то есть в каком-либо из 14 классов Табели о рангах. При этом на горизонтальных лучах креста помещалась надпись: «35 лет».

Позднее, 26 ноября 1789 года, Екатерина II особым указом, данным кавалерской Думе ордена Владимира, определила как дополнительное видимое отличие для знака 4-й степени, получаемого за военные подвиги, бант из орденской ленты. Любопытно, что первым кавалером ордена Владимира 4-й степени с бантом стал капитан-лейтенант Д. Н. Сенявин, затем выдающийся флотоводец, за успешную операцию против турок осенью 1788 года. Вторым был отмечен боевым орденом Владимира 4-й степени с бантом капитан М. Б. Барклай-де-Толли, будущий генерал-фельдмаршал, награжденный за отличие при штурме Очакова в декабре того же 1788 года.

После того как в 1855 году к знакам орденов, вручаемых за военные заслуги, стали добавлять скрещенные мечи, некоторое время бант 4-й степени ордена Владимира носить не полагалось. Но императорским указом Капитулу орденов от 15 декабря 1857 года было велено, для того чтобы «установить различие между лиц военных и лиц гражданских», получившим ордена Владимира 4-й степени, Анны 3-й степени и

«ASPV», in gold — an anagram of the Apostolic Saint Prince Vladimir. The medallion was surrounded by a circlet of gold on the outside of which ran the legend «Benefit, Honour and Glory», the Order's motto. The highest first class of the Order of St. Vladimir likewise comprised a star and a cross-shaped badge, but the latter was worn on a broad ribbon over the right shoulder. The conferment had to follow the usual pattern of going from the lowest class to the highest, though it was not impossible to «skip» one or even two and three classes.

The number of the holders of the award was not limited for any of the classes, for, to quote its Statute, «as many persons will be admitted to same as there may happen to be of those whose work and personal merit will warrant that». The lowest, fourth, class could be given simply to someone who had had a «rank job» for thirty-five years, i.e., a job listed under one of the 14 ranks of the Russian Rank Table. In that case the horizontal bars of the cross bore the legend «35 YEARS».

A while later, on November 26, 1789, Catherine II decreed, by special ordinance to the Duma of Holders of the Order of St. Vladimir, that the fourth class of the award should have a Bow of the Order ribbon when given for a war exploit. Curiously enough, the first award of that description was conferred, rather providentially, on Lieutenant-Commander D. N. Seniavin, later an outstanding fleet commander, for a successful action against the Turks in the autumn of 1788. The second holder of the military Order of St. Vladimir fourth class with a Bow was Captain Barclay de Tolly, s would-be Fieldmarshal, decorated for his outstanding performance at the time of the Ochakov assault in December of the same year 1788.

After the military Order of St. Vladimir had been given two crossed swords in 1855, the fourth class of the award lost its Bow. But the Chapter of Orders had to reintroduce the Bow, by the Emperor's order of December 15, 1857, «to make a distinction between persons military and civilian»; so officers and generals decorated with the Order of St. Vladimir fourth class, with the Order of St. Anne third class, and with the Order of St. Stanislaus third class with the swords were obliged to add the Bow to their Order insignia. In the

Шитая звезда ордена
св. Владимира.

Embroidered star of
the Order of
St. Vladimir.

Памятная медаль на
учреждение ордена
св. Владимира.

Medal in
commemoration of the
institution of the
Order of St. Vladimir.

Звезда ордена
св. Владимира.

*Star of the Order of
St. Vladimir.*

Знак ордена
св. Владимира
2-й степени.

*Badge of the
Order of
St. Vladimir
2nd Class.*

Знак ордена
св. Владимира
3-й степени.

*Badge of the Order of
St. Vladimir
3rd Class.*

*Звезда ордена
св. Владимира
английской работы.*

*Star of the
Order of
St. Vladimir of
English craftsmanship.*

*Знак ордена
св. Владимира.*

*Badge of the
Order of
St. Vladimir.*

*Варианты знаков
(крестов) ордена
св. Владимира.*

*Various types of
badges (crosses) of
the Order of
St. Vladimir.*

*Знаки ордена
св. Владимира
4-й степени за
выслугу 25 и 35 лет
с соответствующими
надписями.*

*Badges of the Order
of St. Vladimir
4th Class for 25 and
35 years of service
with corresponding
inscriptions.*

Звезда ордена
св. Владимира с
мечами.

Star of the Order of
St. Vladimir with
swords.

Звезда ордена
св. Владимира с
мечами сверху.

Star of the Order
St. Vladimir with
swords in its uppe
part.

Варианты знака
ордена св. Владимира
с мечами.

Various types of
badges of the Order
of St. Vladimir with
swords.

Варианты знака
ордена св. Владимира
с мечами сверху.

Various types of
badges of the Order
of St. Vladimir with
swords in the upper
part.

Станислава 3-й степени с мечами офицерам и генералам добавлять на свои знаки бант. Лица же, имеющие гражданские чины, в случае награждения орденом за военные заслуги имели право лишь на знак со скрещенными мечами, без банта.

Среди первых награжденных орденом Владимира еще с начала 80—х годов XVIII столетия было много кавалеров, удостоенных сразу I-й степени этой награды. В числе их знакомые фамилии военачальников, гражданских государственных деятелей. Известным художником Д. Г. Левицким была даже создана галерея портретов Владимирских кавалеров, над которой он работал в течение двух десятков лет, начиная с 1786 года, но которая так и не была закончена. В ряду кавалеров ордена Владимира I-й степени, запечатленных кистью художника, были сын знаменитого «арапа Петра Великого», старший из его одиннадцати детей, герой Чесменского сражения И. А. Ганнибал, удостоенный высшей степени этой награды 24 ноября 1782 года, через два месяца после учреждения ордена; известные военные деятели И. А. Игельстром, В. П. Мусин-Пушкин, М. С. Потемкин, И. Г. Чернышев; отличившиеся на гражданском поприще И. И. Шувалов, А. А. Безбородко. Кроме этих лиц, в числе первых Владимирских кавалеров оказались (портреты их, правда, не принадлежащие кисти Левицкого, также сохранились) П. А. Румянцев-Задунайский, Г. А. Потемкин, Н. В. Репнин, З. Г. Чернышев, Н. И. Панин, И. И. Бецкой и другие. В 1783 году I-ю степень ордена Владимира получил генерал А. В. Суворов.

При учреждении ордена Владимира было решено, что старшие по времени получения награды кавалеры каждой из степеней могут рассчитывать на пенсию, сумма которой для того времени была довольно значительна. Старшие кавалеры ордена Владимира I-й степени получали, независимо от других доходов, 600 рублей в год, 2-й степени — 300 рублей, 3-й степени — 200 рублей и 4-й степени — 100 рублей в год.

Орденские знаки Владимирские кавалеры имели право использовать как элементы

case of civilians awarded a military decoration, the Bow was not worn.

From the very beginning, in the early 1780s, many of the holders of the Order of St. Vladimir at once received the highest, first, class of the award. Among them are the names of well-known military leaders and statesmen. D. G. Levitsky, an artist of considerable fame, had even painted a series of their portraits started in 1786, but left unfinished after twenty-odd years of work. The likenesses of the holders of the Order of St. Vladimir first class included the portrait of the son of the famous «Arap of Peter the Great», the eldest of his eleven children, and hero of the battle of Chesma I. A. Hannibal, decorated on November 24, 1782, i.e., barely two months after the Order had been instituted; outstanding military figures I. A. Igelstrom, V. P. Musin-Pushkin, M. S. Potemkin, I. G. Chernishev; others who had distinguished themselves in civilian life — I. I. Shuvalov and A. A. Bezborodko. The same illustrious set of the first bearers of the Order of St. Vladimir included P. A. Rumiantsev-Zadunaisky, G. A. Potemkin, N. V. Repnin, Z. G. Chernishev, N. I. Panin, I. I. Betskoi and several others (their portraits, although painted by a different artist, have surived as well). In 1783, the Order of St. Vladimir first class was conferred on General A. V. Suvorov.

At the time of founding the Order of St. Vladimir it was decided thar senior Order holders who had had the award longer than others would be entitled to an allowance, fairly generous by the standards of the 18th century. Senior holders of the Order of St. Vladimir first class got 600 rubles a year, irrespective of the size of their regular income; second-class awards entitled one to an annual 300 rubles; it was 200 rubles for the third class of the decoration; and 100 rubles for the holders of the Order of St. Vladimir fourth class.

Bearers of the award had the right to use the Order insignia on their seals and coats of arms. The crosses and stars of the Order of St. Vladimir, like those of the Order of St. George, did not have jewels on them, and the holder was not allowed to have them ornamented with «stones».

In 1777, Catherine II placed an order, for the first time, with the famous porcelain-

Нагрудный знак отличия за выслугу соответственно 20 50 лет в гражданских чинах.

Decoration badges for 20 and 50 years of civil service.

Нагрудные знаки на ленте ордена св. Владимира — награды для дам за благотворительную деятельность соответственно в течение 25 и 15 лет.

Decoration badges on the ribbon of the Order of St. Vladimir, awards for ladies for 25 and 15 years of charitable activity.

изображений на своих печатях и гербах. Кресты и звезды ордена Владимира, так же как и ордена Георгия, не выдавались награжденным с драгоценными украшениями, и получившему эту награду запрещалось украшать ее «каменьем».

В 1777 году императрица Екатерина II впервые заказала на знаменитом фарфоровом заводе Гарднера (ныне Дмитровский фарфоровый завод) орденские сервизы, которые должны были использоваться в Зимнем дворце в дни орденских праздников. Заказано было три сервиза — Георгиевский (на 80 кувертов), Александровский (ордена Александра Невского, на 40 кувертов) и Андреевский (на 30 кувертов). Каждый из сервизов, выполненных к 1780 году, стоил 5—6 тысяч рублей. В 1783 году в связи с учреждением ордена св. Владимира был заказан огромный Владимирский сервиз на 140 кувертов, обошедшийся в колоссальную по тем временам сумму — 15 тысяч рублей. Все предметы — различной величины тарелки, вазочки, горшочки, сухарницы и даже черенки ножей, вилок и ложек — были расписаны по мотивам орденских знаков.

В царствование Екатерины произошел любопытный, единственный в своем роде случай, когда за одно и то же сражение его участник был удостоен двух орденов. Случилось это с выдающимся нашим флотоводцем Федором Федоровичем Ушаковым, тогда, в 1788 году, имевшим чин «капитана бригадирского ранга», равнявшийся сухопутному бригадиру. В сражении при Федониси 3 июля 1788 года Ф. Ф. Ушаков отличился, но вследствие происков своего командира, командующего Севастопольской эскадрой графа М. И. Войновича, был отмечен не орденом Георгия 3-й степени, как сам командующий, а лишь орденом Владимира 3-й степени. Когда интриги Войновича были раскрыты, по представлению самого Г. А. Потемкина, Ф. Ф. Ушаков дополнительно за то же сражение при Федониси был отмечен еще одним орденом, на этот раз Георгием 4-й степени. Вероятно, в сумме, по представлению Потемкина, это должно было соответствовать значению награды, полученной Войновичем, и даже превышать ее.

Павел I, вступив на российский престол,

makers' firm of Gardner (the Dmitrov porcelain factory of today) for special dinner sets with the Order motif to be used in the Winter Palace on the days of the Order saints. At first there had been manufactured three such services — a St. George service (for eighty), a St. Alexander service (with the insignia of the Order of St. Alexander Nevsky, for forty), and a St. Andrew service (for thirty). Each set made in 1780 cost around 5,000 or 6,000 rubles. In 1783, with the institution of the Order of St. Vladimir, an enormous St. Vladimir service for 140 was ordered; it had cost the earth by the standards of the time — 15,000 rubles. Every one of the articles — plates of different sizes, saucers, miniature pots, bread bowls and even the handles of knives, forks and spoons was decorated with pictures of the Order insignia.

Under Catherine II, a unique case of double decoration was recorded, when a person had been awarded two Orders for one and the same battle. The recipient of the unprecedented award was our celebrated fleet commander Fedor Fedorovich Ushakov, then a Brigadier Captain, roughly equivalent to the Brigadier of the land forces. F. F. Ushakov had distinguished himself at the battle of Phedonisi of July 3, 1788, but owing to the scheming of his superior, Commander of the Sevastopol Squadron Count M. I. Voinovich, he was decorated not with the Order of St. George third class, which the latter crafty gentleman had reserved for himself, but with a lesser Order of St. Vladimir third class. When Voinovich had been exposed as a base plotter, G. A. Potemkin himself attempted to make up for the injustice by requesting an extra award for F. F. Ushakov for the same battle; this time the hero was decorated with the Order of St. George fourth class. Apparently, in Potemkin's eyes, the two awards added up to something like the status of the decoration received by Voinovich, or possibly exceeded it in value.

Paul I began his reign by «forgetting» the two Orders founded by his mother, the late Empress Catherine II — the Order of St. George and the Order of St. Vladimir. So naturally, while he was on the throne, the list of the holders of the St. Vladimir award had not grown at all. It was not until after his death that Alexander I, who succeeded Paul I,

«забыл» два ордена, учрежденные его матерью, Екатериной II,— Георгия и Владимира. Поэтому в его царствование в орденских списках не прибавилось ни одного Владимирского кавалера. Лишь после смерти Павла вступивший на престол Александр I восстановил орден Владимира особым повелением от 12 декабря 1801 года, и после пятилетнего перерыва эту награду стали снова выдавать за военные и гражданские заслуги.

Следует сказать, что орден Владимира с момента его учреждения стал наградой, дававшейся исключительно за заслуги и выслугу лет. Правило, по которому лица императорской фамилии при крещении или достижении совершеннолетия получали высшие степени всех российских орденов, имело два исключения — ордена св. Георгия и св. Владимира, которые надо было «заработать».

Единственным случаем, когда орден Владимира был дан «незаслуженно», можно считать возложение его на себя Екатериной II при учреждении награды в 1782 году.

Даже на закате империи, когда наградная система России либерализовалась, это правило неукоснительно соблюдалось. Николай II, получивший при крещении все высшие российские ордена, кроме двух названных, был отмечен низшей, четвертой степенью ордена св. Владимира только после выслуги 25 лет в офицерских чинах, и добавил к роскошной голубой ленте высшего ордена Андрея Первозванного маленький скромный владимирский крестик.

После восстановления в самом начале XIX века орден Владимира до конца существования империи выдавался большей частью за выслугу лет, так как его низшая степень после Крымской войны заменила 4-ю степень ордена Георгия в ее «выслужном» значении. Но были в истории государства периоды, когда эта награда давалась в значительных количествах за военные заслуги. Одним из таких моментов стала Отечественная война 1812 года. За отличия в боях против французов высшая, 1-я степень ордена была выдана невиданное дотоле число раз — 12, в том числе таким всем известным героям, как П. П. Коновницын, А. И. Остерман-Толстой, Н. Н. Раевский... Орденов Владимира 2-й степени было выдано 95, и почти все

restored the Order of St. Vladimir by a special decree of December 12, 1801, and the decorations were resumed after a five-year break.

It must be added that the Order of St. Vladimir, from the very first, had been given exclusively for merit and also for length of service. The practice of conferring all first-class Orders of Russia on members of the Imperial family at baptism or upon coming of age knew but two exception — the Orders of St. George and St. Vladimir which had to be «earned».

The only instance of «unmerited» decoration appears to be the self-conferment of Catherine II who decorated herself with the Order of St. Vladimir on the day of instituting the award in 1782. Even in the last years of the Empire's existence, when the Russian decoration rules had become far more liberal, this custom was respected. Nicolas II had been given all the highest Russian Orders at christening except those two, and did not get the lowest fourth class of the Order of St. Vladimir until he had completed his twenty-five-year term of service as an officer; then he could add to the splendid blue ribbon of his first-class Order of St. Andrew a smallish modest St. Vladimir cross.

After re-institution in the early 19th century, the Order of St. Vladimir was mostly given for length of service, as its lowest class had taken the place of the length-of-service Order of St. George fourth class when the Crimean war was over. Yet, there have been times in the history of the state when this award was conferred on large groups of people for military exploits. One such period was the 1812 Patriotic War. An unprecedented number of heroes — twelve — had merited the highest first class of the Order, among them men of national fame P. P. Konovnitsyn, A. I. Ostermann-Tolstoy, N. N. Raevsky. Second-class St. Vladimir had been awarded ninety-five times, also to people well known to every Russian; let us name but a few of the Order holders who had distinguished themselves in the 1812 war in Russia and in the 1812—1813 campaign abroad: A. P. Ozharovsky, I. M. Duka, E. E. Udom, G. A. Emanuel, P. M. Kaptsevich — all are generals whose portraits grace the famous 1812 Gallery in the Winter Palace.

The Order of St. Vladimir third class had

его кавалеры за Отечественную войну 1812 года и заграничный поход 1812—1813 годов хорошо известны. Назовем лишь некоторых: А. П. Ожаровский, И. М. Дука, Е. Е. Удом, Г. А. Эмануэль, П. М. Капцевич — генералы, портреты которых украшают знаменитую галерею 1812 года в Зимнем дворце.

Орден Владимира 3-й степени был выдан за отличия в эпоху Отечественной войны 1812 года сотни раз, 4-й степени — тысячи. Третью степень получил будущий декабрист С. Г. Волконский, 4-й степенью с бантом награждено более двух десятков офицеров, которые позднее, в декабре 1825 года, выйдут на Сенатскую площадь или будут осуждены за бунтарство. Это С. И. Муравьев-Апостол, М. С. Лунин, П. И. Пестель, Н. М. Муравьев, Ф. Н. Глинка и другие. Будущий декабрист В. И. Штейнгель был отмечен этим знаком отличия даже дважды — первый раз за сражение при Чашниках, второй — за Березину.

В военной среде высоко ценили орден Владимира 4-й степени с бантом — боевую офицерскую награду. Герой Отечественной войны 1812 года Я. П. Кульнев, награжденный им за отличия в боях с французами еще в 1807 году, писал брату: «Лучше быть меньше награжденну по заслугам, чем много без всяких заслуг. С каким придворным вельможею, носящим Владимира I класса, поравняю я мой Владимир 4-го с бантом?»

И в дальнейшем Владимирский орден как боевая награда ценился очень высоко, идя в табели знаков отличия после ордена Георгия. Например, за знаменитый бой брига «Меркурий» с двумя огромными турецкими кораблями его капитан А. И. Казарский и еще один офицер были отмечены орденом Георгия 4-й степени, а остальные три героя, имевшие также офицерские чины,— орденом Владимира 4-й степени с бантом.

Кавалер ордена Владимира никогда не должен был снимать его знаки. Носить их предписывалось всегда. При получении более высоких орденов других наименований могло меняться лишь их место на мундире. Так, например, лента I-й степени носилась в день орденского праздника 22 сентября поверх мундира даже при наличии высшего ордена Андрея Первозванного, в прочих же случаях

been given on merit by the hundred while the 1812 war lasted, its fourth-class variety — by the thousand. A third-class award was conferred on the future Decembrist S. G. Volkonsky; Orders of St. Vladimir fourth class with a Bow were given to some two dozen officers all of whom would, in a few years' time, start a revolt in Senate Square in December 1825 or would be charged with mutiny and sentenced to long terms in exile. They were S. I. Muraviev-Apostol, M. S. Lunin, P. I. Pestel, N. M. Muraviev, F. N. Glinka and others. The would-be Decembrist V. I. Steingel was decorated twice — the first St. Vladimir award marked his valour at the battle of Chashniki, the second was received for the Berezina operation.

The military Order of St. Vladimir fourth class with a Bow was much sought after in the officer milieu. A 1812-war hero, Y. P. Kulnev, who had been first decorated in 1807 for gallantry in fighting the French, wrote in a letter to his brother: «And it is far better, is it not, to have a lesser award but deservedly than a higher one by favour. So I treasure my fourth-class St. Vladimir with a Bow above any first-class Order a courtier might sport.»

The prestige of the St. Vladimir Order as a military award remained high throughout its existence; in the Table of Orders of Merit it was second only to the Order of St. George. Thus the Captain of the «Mercury» and another officer were given the Order of St. George fourth class for the fearlessness with which their slender brig had offered battle to a couple of large and heavy Turkish ships, while three more heroes, likewise of officer ranks, were decorated with the Order of St. Vladimir fourth class with a Bow.

Holders of the Order of St. Vladimir were not to appear in public without the Order insignia. If the person was decorated with other awards of higher denominations, the St. Vladimir badge could be worn on a different part of the uniform, but no more than that. If, for example, the first-class ribbon was worn over the dress on the Saint's day of September 22, regardless even of the pre-eminent St. Andrew award, on other occasions it was to be worn under the coat. Interestingly, there was one case of permitting an unorthodox style of ribbon-wearing by way of reward. In 1879, one of the Crimean War

она помещалась под мундиром. Но разрешение носить эту ленту не по правилам однажды стало своеобразной наградой. В 1879 году адмирал Ф. М. Новосильский, один из героев Крымской войны, по случаю 25-летия со дня первой бомбардировки Севастополя, где он командовал одним из участков обороны, был отмечен высшим российским орденом Андрея Первозванного. Но в том же рескрипте ему предписывалось в форме приказа полученную им еще в Севастополе ленту ордена Владимира 1-й степени «во всех случаях... носить поверх мундира, вместо Андреевской ленты». Награда, полученная в бою, была оценена выше, чем полученный спустя четверть века высший орден.

С 5 августа 1855 года, как мы уже знаем, на знаках орденов, выдававшихся за военные заслуги, стали помещать скрещенные мечи. Но так как при получении более высокой степени крест низшей степени должен был сниматься, для того чтобы показать, что предыдущая степень была выдана за военные заслуги, с мечами, эти мечи стали помещать на гражданском знаке на верхнем луче креста или в верхней части звезды. Выдача этого вида наград, получивших официальное название «с мечами над орденом», продолжалась до конца 1870 года, когда было разрешено при пожаловании более высокими степенями не снимать награды, выданные за военные заслуги. Необходимость в разновидности знака отличия «с мечами над орденом» в связи с этим отпала.

К началу XX столетия было разрешено носить все полученные орденские знаки независимо от того, заслужены они в боевой обстановке или в мирное время. Но награды с мечами по-прежнему ценились выше, чем не имеющие этих дополнительных элементов.

На красно-черной ленте ордена Владимира носились многие медали дореволюционной России. Первой из них по времени стала медаль 1790 года по случаю мира со Швецией. В дальнейшем на этой ленте выдавался ряд знаков отличия эпохи Отечественной войны 1812 года (бронзовая медаль «1812 год» для глав дворянских родов, медаль ополчения 1807 года для не принимавших участия в военных действиях, партизанская медаль 1812 года, особый

heroes, Admiral F. M. Novosilsky, was decorated with Russia's highest Order of St. Andrew in commemoration of the twenty-fifth anniversary of the first shelling of Sevastopol, where he had been in command of some of the defences. But the same deed contained orders that he should wear the ribbon of the Order of St. Vladimir first class he had since the war «always, on all occasions... over the uniform, instead of the St. Andrew ribbon». The battle award then ranked higher than a nominally superior award received a quarter of a century later.

As has been said above, after August 5, 1855, the insignia of military orders of merit included the crossed swords. But as the rule was that in the event of receiving a higher-denomination award, the holder was to take off his lower-class cross, the swords that went with the latter were fixed to the civil-order badge, on the top of the cross or of the star, to indicate that the previous decoration had been given for military merit. This kind of decoration, officially termed «with swords over the Order», was practised till 1870, when it was permitted to keep the original award given on merit after a higher-denomination award had been conferred on the holder. Consequently, there was no longer any need to preserve the «swords-over-the-Order» type of insignia.

By the 20th century it had been allowed to wear all of one's decorations in their entirety, whether military or civil. But the «crossed-swords» variety was still valued higher than the «swordless» kind.

The black-and-red St. Vladimir ribbon was used for wearing a good few of the Russian medals. The earliest of those was the Peace with Sweden medal of 1790. Later the same ribbon went with a number of 1812 War badges of honour (the 1812 Bronze Medal for heads of noble families, the Emergency Volunteer Corps Medal of 1807 for non-combattants, the special Cross for the clergy); also various medals with legends on them («For the Good Done», «For Life Rescuing», etc.). Still later mixed-colour ribbons, combining the colours of two Orders, had been introduced, e.g., the St. George and St. Vladimir ribbon (for wearing such medals as «For the Khiva Campaign of 1873» «For the Conquest of the Khanate of Kokand» in 1876, and «For the Central Asian Campaigns of

крест для священников), медали с надписями «За полезное», «За спасение погибавших» и ряд других. Позднее в числе комбинированных ленточек, сочетающих цвета двух каких-либо орденских лент, были введены Георгиевско-Владимирская (медали «За Хивинский поход 1873 года» и «За покорение Ханства Кокандского» в 1876 году, «За походы в Средней Азии в 1853—1895 гг».), Александровско-Владимирская (медаль «В память царствования Николая I»), Андреевско-Владимирская (медаль «За поход в Китай в 1900—1901 гг.»).

В заключение еще одна короткая история из времен начала первой мировой войны. Как известно, мобилизация в русской армии была проведена весьма быстро и успешно. Была даже учреждена особая медаль за отличие при ее проведении. Тогда же появилась и еще одна необычная награда. Начальник Мобилизационного отдела Главного штаба генерал А. С. Лукомский за руководство мобилизацией получил право носить имеющийся у него орден Владимира не на своей ленте, а на более почетной Георгиевской (ведь сам орден Георгия за небоевые подвиги выдать не могли). В армии в связи с этим вскоре появилась шутка — этот странный знак отличия назвали «Владимир Георгиевич». Сам же А. С. Лукомский так и не заработал впоследствии собственно Георгиевских наград — ни ордена, ни наградного оружия.

1853—1895»); the St. Alexander and St. Vladimir ribbon (for the medal «In Memory of the Reign of Nicholas I»); the St. Andrew and St. Vladimir ribbon (for the medal «For the Chinese Campaign of 1900—1901»).

And another early First World War tale, in conclusion. It is a well-known fact that the Russian Army had been mobilised with commendable efficiency. There was even a special medal to reward persons who had contributed more than others to the mobilisation compaign. Around the same time another, somewhat unusual, award had been instituted. Head of the Mobilisation Section of the GHQ, General A. S. Lukomsky, was granted the right to wear the St. Vladimir Order he already had not on its regulation ribbon, but on the more prestigious St. George ribbon, for his excellent management of the work (since he could not be given the Order of St. George as such, his services being of a non-battle kind). The Army was quick to respond with a joke — dubbing the curious hybrid «Vladimir Georgievich». Incidentally, General Lukomsky never earned any of the St. George awards afterwards, whether the Order or the side-arms.

ОРДЕН

СВ. АННЫ

THE ORDER

OF ST. ANNE

В XVIII столетии в систему наград Российской империи был впервые введен иностранный по происхождению орден, носивший имя св. Анны...

В 1735 году Гольштейн-Готторпский герцог Карл Фридрих учредил в память умершей в 1728 году жены, дочери Петра I Анны Петровны, орден св. Анны. Латинский девиз ордена, помещенный в центральном медальоне звезды, гласил: «Amantibus Justitiam, Pietateret Fidem», что в переводе на русский язык значит: «любящим правду, благочестие и верность». Первые буквы латинской версии девиза «A. J. P. F.» соответствуют первым буквам латинского написания фразы «Анна, императора Петра дочь». После смерти в 1739 году Карла Фридриха престол герцогства Голштинского, как его называли в России, перешел к его сыну Карлу Петру Ульриху. Когда в 1742 году Карл Петр Ульрих был провозглашен наследником российского престола под именем великого князя Петра Федоровича и приехал в Россию, он привез с собой орден св. Анны. И уже в феврале 1742 года к двум кавалерам этого ордена (герцогу Карлу Фридриху и Карлу Петру Ульриху) прибавилось еще сразу четверо русских Аннинских кавалеров: камергеры М. И. Воронцов, А. Г. Разумовский, братья А. И. и П. И. Шуваловы. В апреле того же года русских кавалеров ордена стало уже семь. Ко времени, когда Петр Федорович был провозглашен императором Петром III, уже десятки российских подданных носили на широкой красной с желтой каймой ленте через левое плечо красный с золотыми украшениями в углах крест, в центральном медальоне которого изображена св. Анна. Серебряная звезда ордена помещалась на правой стороне груди.

После недолгого правления Петр III в 1762 году был свергнут с российского престола, и власть в государстве захватила его жена Екатерина II. Их малолетний сын, великий князь Павел Петрович, стал голштинским герцогом. В 1767 году Екатерина II от имени Павла отказалась от Голштинского герцогства, но орден остался в России. Его гроссмейстер Павел Петрович формально имел право награждать им своих подданных, но фактически все кандидаты утверждались самой императрицей, а Павел лишь подписывал грамоты на орден. Желая

In the 18th century the Russian award system adopted, for the first time, a foreign order of merit, in the name of St. Anne.

In 1735, Charles Frederick, Duke of Holstein-Gottorp, founded the Order of St. Anne, in memory of his deceased wife Anna Petrovna, daughter of Peter the Great, who had died in 1728. The medallion in the centre of the star bore the Latin motto «Amantibus Justitiam, Pietatem et Fidem», that is to say «To the lovers of justice, piety and fidelity». The anagram of the Latin version (AJPF) coincided with that of the phrase «Anna, daughter of Peter the Emperor» in Latin. After the death of Charles Frederick in 1739, his Dukedom had been inherited by his son and heir Charles Peter Ulrich. In 1742 Charles Peter Ulrich came to Russia, upon being declared heir to the Russian throne under the name of HRH Prince Piotr Fedorovich. He brought with him the Order of St. Anne. Already in February 1742 the two original holders of the award (the Late Duke and Charles Peter Ulrich himself) were joined by as many as four Russian bearers of the Order of St. Anne: Great Chamberlains M. I. Vorontsov, A. G. Razumovsky, brothers A. I. and P. I. Shuvalov. In the same April their number had reached seven. By 1761, when Piotr Fedorovich had been enthroned as Peter III, there were dozens of Russian citizens who had the right to don a broad red ribbon with a yellow edge to it and a crimson cross whose central medallion bore a representation of St. Anne, trimmed with gold ornamentation between the bars. The ribbon and the Cross were worn over the left shoulder, while on the right breast of the holder was fixed a silver star.

Peter III's brief reign came to an abrupt end in 1762, when he was dethroned by his wife who was crowned as Catherine II. Their under-age son, HRH Prince Paul, had been given the title of the Duke of Holstein-Gottorp. In 1767, Catherine II relinquished her claim on the Dukedom, on Paul's behalf, but the Order of St. Anne had remained in Russia. Prince Paul, as the Order Grand Master, had a formal right to confer the award on his subjects, but actually it was the Empress herself who passed all the candidate lists, while Paul was a mere figurehead who rubberstamped the deeds. Once Paul devised the following ruse to decorate his «Gatchina»

Шитая звезда ордена
св. Анны.

Embroidered star of
the Order of St. Anne.

Знак ордена
св. Анны,
украшенный
бриллиантами.

Badge of the Order of
St. Anne adorned with
diamonds.

Лицевая и оборотная стороны знака ордена св. Анны «с бриллиантами», при изготовлении которого вместо эмали использовались цветные камни и пасты.

Obverse and reverse of a badge of the Order of St. Anne with diamonds. Instead of enamels, gems and pastes used.

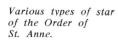

*Варианты звезды
ордена св. Анны.*

*Various types of star
of the Order of
St. Anne.*

*Варианты знаков
ордена св. Анны,
украшенных
бриллиантами.*

*Various types of
badge of the
Order of
St. Anne
adorned with
diamonds.*

Звезда ордена
св. Анны с мечами.

Star of the Order of
St. Anne with swords.

Знак ордена св. Анны
с темной змалью.

Badge of the Order of
St. Anne with dark
enamel.

Знаки ордена
св. Анны темной
эмали с мечами.

Badge of the Order of
St. Anne with swords,
covered with dark
enamel.

так как скрывать пожалованное уже было не нужно.

Для нижних чинов была введена особая награда, представлявшая собой сначала узкую ленточку «аннинских» цветов, носить которую предписывалось на солдатском мундире (появилась еще в 1796 году, ее давали за выслугу лет). Установлением 1797 года ленточку заменили «позолоченной медалью, на которой с одной стороны изображается такой же крест, как и на шпаге, а на другой номер для сохранения верного счета сих раздаваемых награждений». Носили ее на такой же ленточке. Из архивных документов известна фамилия получившего Аннинскую медаль с номером «I» на оборотной стороне. Это унтер-офицер гвардейского Измайловского полка Василий Гурьев, который «был сержантом при ленте» в 1796 году, а в следующем, 1797 году, 1 ноября, уже в чине унтер-офицера отмечен медалью номер один. Мы знаем также фамилии получивших эту медаль со следующими номерами: рядовой того же Измайловского полка Антон Титов (№ 2), рядовой гвардейского Семеновского полка Иван Степанов (№ 3), гренадер гвардейского Преображенского полка Арсений Федосеев (№ 4).

В дальнейшем Аннинской медалью (ее официальное название было Знак Отличия ордена св. Анны, по аналогии со Знаком Отличия ордена св. Георгия) награждали также и за боевые отличия. В частности, на рубеже столетий, во время знаменитых суворовских походов, солдаты получали в числе прочих боевых наград и Аннинские медали. Этими знаками отличия жаловали в значительных количествах, если подвиг, ими отмеченный, был массовым. Такое награждение состоялось, например, в 1805 году, после известного Шенграбенского сражения, в котором 6 тысяч русских под командованием П. И. Багратиона выдержали сражение с 30-тысячной армией французов, дав этим возможность уйти из-под удара основным своим силам. В ноябре 1805 года М. И. Кутузов в донесении Александру I о прошедшем сражении в числе прочего просит о награждении наиболее отличившихся нижних чинов Аннинскими медалями: «...не благоугодно ли Вашему Величеству повелеть доставить ко мне 300 знаков отличия св. Анны для раздачи унтер-офицерам и

tunic (it had been introduced in 1796 and was a length-of-service award). The 1797 Act replaced the ribbon with a «gilt medal with the same cross on one side as the one on the sword, and on the other with the ordinal number of the award to keep correst count thereof». The medal was worn on the same St. Anne ribbon. The archives have preserved the name of the first recipient of the St. Anne medal registered under No. 1. He was NCO Vassily Guriev, from the Izmailovsky Guards Regiment, who had been «Sergeant with the Ribbon» in 1796, and in the following year of 1797, on November 1, was decorated with medal No. 1 in the rank of non-commissioned officer. The names of his immediate successors are also known. They were: Private Anton Titov of the same regiment (medal No. 2); Private Ivan Stepanov of the Semenovsky Guards Regiment (medal No. 3); and Grenadier Arseny Fedoseev of the Preobrazhensky Guards Regiment (medal № 4).

Subsequently the St. Anne medal (its official designation was the Badge of Honour of the Order of St. Anne, by analogy with a similar St. George award) was also used as a military decoration given on merit. Thus at the turn of the century, at the time of the famous Suvorov campaigns, soldiers were awarded the St. Anne medal along with other military decorations. The medals were quite often given in large quantities, if the exploit they were meant to reward involved a group of people. For example, one such conferment took place in 1805, after the battle of Schöngraben, when a mere 6,000 Russians commanded by P. I. Bagration had fought back a French army 30,000 strong and so let the main Russian forces retreat to safety unharmed. In November 1805, M. I. Kutuzov sent a report on a recent battle to Alexander I with a request for medals to decorate soldiers displaying outstanding courage: «...Should Your Majesty be so disposed as to order that 300 badges of honour of the Order of St. Anne be forwarded to me, the said decoratins will be distributed among and privates as specially recommended»[1].

---

[1] M. I. Kutuzov, Collection of Documents, Vol. II, Moscow, 1951, p. 172.

рядовым, кои особенно будут рекомендованы»[1].

С учреждением в 1807 году Знака Отличия Военного ордена (солдатского Георгиевского креста) для солдат и матросов главным назначением Аннинской медали стало вознаграждение за выслугу 20 лет в нижних чинах. Позднее особым положением о Знаке Отличия ордена св. Анны, утвержденным 11 июля 1864 года, эта награда стала даваться «за особые подвиги и заслуги, небоевые, на службе или вне служебных обязанностей совершенные, но выходящие из круга тех отличий, за которые жалуются прочие ныне существующие награды». Иными словами, медаль стали давать за проявление храбрости, решительности и находчивости, хотя и в небоевой обстановке, но когда награжденный рисковал жизнью либо совершал поступки, следствием которых были «очевидная польза правительства» или «открытие важных сведений, до правительства относящихся». В числе таких «подвигов» возможна и поимка важного государственного преступника.

Получивший право на Аннинскую медаль за отличие носил ее на ленте с бантом. В случае, если награжденный за подвиг уже имел ранее такой же знак, но выданный за выслугу лет, при повторном награждении он присоединял к медали ленту с бантом. При награждении медалью с бантом выдавали от 10 до 100 рублей.

В 1888 году снова стали выдавать Аннинскую медаль унтер-офицерам за выслугу теперь уже 10 лет сверхсрочной службы. Бант к награде не полагался.

Знак Отличия ордена св. Анны, полученный за отличие, не снимался при производстве в офицеры даже в том случае, если это лицо получало орден св. Анны любой степени.

С конца 1916 года, в связи с обстоятельствами военного времени, Аннинскую медаль стали чеканить из недрагоценных металлов, а после февраля 1917 года с нее исчезли изображения императорской короны и порядковый номер (при награждении иностранцев еще в

---

[1] М. И. Кутузов. Сборник документов. Том II. М., 1951. С. 172.

With the introduction in 1807 of the Military Order Badge of Honour (the Soldiers' St. George Cross), the St. Anne medal was used mainly as a length-of-service award; it was given to NCOs and men after twenty years of service. Later, under a special Badge of Honour of the Order of St. Anne Act of July 11, 1864, the medal was given in recognition of «outstanding deeds and merits of a non-military nature, performed as part of one's duties or otherwise, but distinct from the kind that warrant other decorations presently in existence». That is to say, the medal was a mark of courage, resource and drive shown in non-combat conditions, when the person risked his life or when his actions resulted in «the government's obvious benefit» or «in bringing to the government's notice information of importance that is the government's concern». One example of such meritorious acts was the capture of a «state felon».

The holder of the St. Anne medal on merit wore it on a ribbon with a Bow. If he had already been decorated with the length-of-service variety of the same medal, he was to add the ribbon with the Bow to his original award. The ribbon-and-bow decoration entitled the holder to a bonus of 10 to 100 rubles.

In 1888 the practice of giving the length-of-service St. Anne medal to NCOs was resumed, only the required term of re-enlistment now was ten years. The decoration did not include a Bow.

The Badge of Honour of the Order of St. Anne on merit was to be worn even if the holder was promoted to an officer rank and was decorated witn the Order of St. Anne of any class.

Starting from late 1916, under war-time conditions, the medal was minted ,from non-precious metals, while after February 1917 it had lost its imperial crown and index number (incidentally, medals awarded to foreigners had gone unnumbered ever since 1829).

But let us get back to our subject. By the early 19th century, the number of holders of the Order of St. Anne in Russia had gone well beyond several hundred. Some of those people were renowned for their heroism. Thus, one of the 1770 awards was conferred on forty-year-old A. V. Suvorov. That was his first order. However, over the remaining three decades of his military career he got every

1829 году начали выдавать эту награду также без порядкового номера).

Но вернемся к ордену св. Анны. К началу XIX столетия его кавалеров в России насчитывались уже сотни. Среди них были и известные герои. Так, в 1770 году Аннинским кавалером стал сорокалетний А. В. Суворов. Это был его первый орден. Впрочем, за оставшиеся три десятка лет своей военной карьеры Александр Васильевич успел получить все остальные отечественные награды и, кроме того, множество иностранных.

После разделения в 1797 году ордена на степени высшая, 1-я стала наградой исключительно для генералов и соответствующих им по рангам гражданских чиновников. Впрочем, известно одно любопытное исключение из этого правила, относящееся еще ко времени правления Павла I. В 1799 году небольшой десантный отряд под командованием капитан-лейтенанта российского флота Г. Г. Белли во время войны с французами, совершив марш по итальянской территории, взял г. Неаполь, имея в своем подчинении менее 600 человек. Когда Павел узнал об этом, он, по преданию, сказал: «Белли думал меня удивить, так и я удивлю его»,— и наградил его, капитан-лейтенанта, орденом св. Анны I-й степени.

В эпоху Отечественной войны 1812 года также было единственное награждение орденом св. Анны I-й степени не генерала — его получил полковник Е. И. Властов за успехи «при разных экспедициях против французов». Остальные награжденные орденом этой степени были исключительно лица с генеральскими чинами, а таких оказалось 224 человека. В их числе были 54 героя, получивших Знаки Ордена св. Анны, украшенные бриллиантами, что повышало значение награды.

Один из будущих декабристов, князь С. Г. Волконский, также стал кавалером ордена св. Анны I-й степени за участие в войне с Наполеоном. Многие из его коллег заслужили орден св. Анны 2-й степени — таких из будущих декабристов оказалось 17 человек. Трое — М. Ф. Орлов, М. А. Фонвизин, М. Ф. Митьков — имели этот орден с драгоценными украшениями. Среди тысяч русских офицеров, получивших 3-ю степень ордена св. Анны на оружие,

other Russian award and scores of foreign ones besides.

When the Order had been graded in 1797, the first, highest class was given exclusively to generals and their equals in civil service. There was one exception to this rule, though, back in the time of Paul I. In 1799 a small landing party of something like 600 men headed by G. G. Belli, Lieutenant-Commander of the Russian Navy, marched through the Italian territory and seized Naples trom the French. When apprised of this remarkable feat, Paul I said. allegedly: «Belli hoped to surprise me, but I, too, have a surprise for him.» Upon which the Emperor conferred the Order of St. Anne first class on the man who was a mere Lieutenant-Commander.

Another instance of decorating a non-general with the Order of St. Anne first class was recorded at the time of the 1812 War. The award was given to Colonel E. I. Vlastov for his successful «expeditions against the French». All other holders of the first-class award were generals, of whom there were 224. Fifty-four of the heroes were specially marked by the extra-valuable decoration ornamented with diamonds.

One of the future Decembrists, Prince S. G. Volkonsky, was likewise awarded the Order of St. Anne first class for the bravery displayed during the war with Napoleon. A lot of his would-be associates were given the Order of St. Anne second class — seventeen, to be more exact. Of them three — M. F. Orlov, M. A. Vonwiesin and M. F. Mitkov — had the diamond variety. Among thousands of Russian officers decorated with the Order of St. Anne third class the names of future rebels are to be found almost as frequently: A. Z. Muraviev, N. M. Muraviev, M. I. Muraviev-Apostol, I. D. Yakushkin and many more besides had the St. Anne badge on their side-arms. Incidentally, at first the third-class badge to be worn on the side-arms was made of gold, like all other Russian Order badges of all classes. But in the course of the war the numbers of the decorated had grown so fast (in 1812 alone, 664 swords and sabres with the third-class badges were sent to the army, besides two more sabres for naval officers) that they decided, for reasons of economy in war time, to use non-precious metals for badge manufacturing; also, all a person got upon decoration was the copper-and-zink badge

также встречаются фамилии будущих заговорщиков — А. З. Муравьева, Н. М. Муравьева, М. И. Муравьева-Апостола, И. Д. Якушкина и других. Между прочим, первоначально Знак Ордена св. Анны 3-й степени на оружие изготавливался, как и все знаки любой степени русских орденов, из золота. Но в ходе Отечественной войны число награжденных Аннинским оружием оказалось настолько велико (только в 1812 году в армию были отправлены 664 шпаги и сабли со знаком ордена 3-й степени, а также две флотские сабли для морских офицеров), что в целях экономии в трудное военное время решили изготавливать знаки этой степени из недрагоценного металла, томпака, причем награжденный получал лишь знак и прикреплял его к уже имеющемуся у него личному холодному оружию. В 1813 году в армию был послан 751 такой знак, а в следующем, 1814 году — 1094 знака.

В 1815 году орден св. Анны был разделен на четыре степени, причем Аннинское оружие стало низшей, 4-й; 3-ю степень следовало носить в петлице, 2-ю — на шее и I-ю, как и раньше — на широкой ленте через плечо со звездой на правой стороне груди.

Так как награда за боевые отличия была всегда более почетной, нежели подобная же степень ордена, полученная за гражданские заслуги, с 1828 года к Знаку Ордена св. Анны 3-й степени, полученному в боевой обстановке, стал добавляться бант из орденской ленты. Позднее, как мы уже знаем, ко всем знакам российских орденов, в том числе и св. Анны, дававшимся за боевые заслуги, добавлялись скрещенные мечи. Бант на ордене св. Анны 3-й степени при этом остался.

В 1828 году было прекращено награждение Знаками Орденов св. Анны 1-й и 2-й степеней, украшенными бриллиантами. Вместо этого появилась как особая ступень награды дополнение в виде императорской короны к знакам первых двух степеней. Бриллиантовые украшения давались теперь лишь в редких случаях и исключительно иностранцам. В 1874 году награждение знаками орденов, украшенными императорской короной, было прекращено.

В 1829 году для более явного отличия

which he had to attach to the cold steel already in his possession. In 1813 the army received 751 such badges, while in the next year of 1814 the number was already 1,094.

In 1815, the Order of St. Anne was graded into four classes, with the St. Anne side-arms counting as the lowest, fourth, class; the third-class badge was to be worn in the buttonhole; the second-class decoration was worn round the neck, and the Order of St. Anne first class continued to be worn on a broad ribbon over the left shoulder with a silver star on the right breast.

Since a military order of merit implies a higher degree of prestige than its civil counterpart, the Order of St. Anne third class given for war exploits was complemented with a Bow in 1828. Later it was two crossed swords, as has been said before. But while the swords were a distinctive feature of all Russian military orders of merit, the Order of St. Anne had preserved both its Bow and the swords.

After 1828 no more diamond-ornamented badges of the Order of St. Anne first and second class were awarded. Instead the badges of the first two classes were given an additional decoration of the imperial crown as a sign of extra honour. Diamond-studded insignia were now awarded as a rare exception and then only to foreigners. In 1874 the practice of conferring decorations with the imperial crown on them was likewise discontinued.

From 1829, for the St. Anne side-arms to be more readily distinguishable from the ordinary kind, the hilt had borne the «For Gallantry» legend, and in place of the standard sword-knot was worn one of the St. Anne colours.

The St. Anne side-arms were to be carried all the time, even after the owner had been decorated with a higher class of the same award. If a holder of the St. Anne Order fourth class received gold side-arms of the Order of St. George, both badges — the fourth-class St. Anne Cross and the white St. George Cross — were attached to the sword hilt.

There was a fixed order in which various Russian decorations could be given. The first in the row was the Order of St. Stanislaus third class, the lowest of the lot; then followed the Order of St. Anne third class; St. Stanislaus second class; St. Anne second class; St. Vladimir fourth class; St. Vladimir third

Аннинского оружия от обычного на эфесе стала добавляться надпись «За храбрость», а обычный темляк заменен орденским темляком цветов ордена св. Анны.

Аннинское оружие никогда не снималось, даже при получении более высоких степеней того же ордена. При награждении кавалера ордена св. Анны 4-й степени Золотым Георгиевским оружием оба орденских знака, и св. Анны 4-й степени, и белый Георгиевский крестик, помещались на эфесе.

Существовала строгая последовательность награждения разными российскими орденами. Низшей наградой в этой системе был орден св. Станислава 3-й степени, затем следовали Анна 3-й, Станислав 2-й, Анна 2-й, Владимир 4-й, Владимир 3-й, Станислав 1-й, Анна 1-й, Владимир 2-й, Белый Орел, Александр Невский. Особые правила существовали для награждения орденами Владимира 1-й степени и Андрея Первозванного. Как видим, в эту систему не входит скромный орден св. Анны 4-й степени «За храбрость». Он считался не первой очередной боевой наградой, а исключительной, за личные боевые подвиги.

В годы гражданской войны некоторые белые правители продолжали награждения старыми российскими орденами. Так, например, поступали главнокомандующий Северной белой армией генерал Е. К. Миллер, Верховный правитель адмирал А. В. Колчак. Сохранился приказ главнокомандующего вооруженными силами белых на Юге России генерала А. И. Деникина, датированный 5 января 1919 года, о награждении орденом св. Анны 3-й степени с мечами и бантом «английской службы лейтенанта резерва Рейлли Сиднея», небезызвестного британского разведчика Сиднея Рейли, в 1918 году заочно приговоренного советским судом к расстрелу за участие в заговоре.

А вот генерал П. Н. Врангель не отмечал своих подчиненных за боевые заслуги старыми русскими орденами и, более того, запретил носить в своей армии награды, пожалованные ранее адмиралом Колчаком «за отличия, оказанные в гражданской войне». В братоубийственной войне русских с русскими награждение боевым российским орденом представлялось неэтичным. Награды же, пожалованные еще в 1-ю мировую войну, носить не возбранялось.

class; St. Stanislaus first class; St. Anne first class; St. Vladimir second class; the Order of the White Eagle; and St. Alexander Nevsky. There was a special set of rules regulating the conferment of the Orders of St. Vladimir first class and of St. Andrew. As one may notice, the modest «For Gallantry» Order of St. Anne fourth class is not listed with the rest. The reason being that it was not seen as the bottom rung in the decoration-order scale, but as an exclusive award for personal war exploits.

At the time of the Civil War certain White Guard authorities kept up the practice of awarding old Russian orders of merit. Among them the Commander-in-Chief of the Northern White Army, General E. K. Miller and Admiral A. V. Kolchak. There is a paper signed by the Commander-in-Chief of the Southern White Army, General A. I. Denikin, dated January 5, 1919, about decorating with the Order of St. Anne third class with the swords and Bow the British Service Reserve Lieutenant Sydney Rayleigh — a person of considerable notoriety who had been tried in his absense by the Soviet court in 1918 and sentenced to death by firihg squad for his part in a plot.

In contrast to them, General P. N. Wrangel never decorated his subordinates with the orders of the Russian Empire; moreover, he had strictly forbidden any such awards to be worn in his army, if they had been previously given by Admiral Kolchak for «the merit displayed in the Civil War». Decorating Russians for victories in a fratricidal war against their countrymen appeared a shockingly unethical thing to him. As for the First World War awards, there were no restrictions imposed.

ОРДЕН
СВ. ИОАННА
ИЕРУСАЛИМСКОГО
(МАЛЬТИЙСКИЙ)

THE ORDER

OF ST. JOHN

OF JERUSALEM

(ALIAS OF MALTA)

Император Павел ни разу никого не жаловал учрежденными Екатериной II орденами св. Георгия и св. Владимира, хотя они и не были упразднены. Остальные ордена — св. Андрея Первозванного, св. Екатерины, св. Александра Невского и пришедший в Россию голштинский орден св. Анны — были объединены в единый Российский кавалерский орден, став в нем лишь различными «наименованиями», или «классами». Вместе с тем, как бы с целью принизить роль отечественных орденов, Павел ввел в России иностранный по происхождению орден св. Иоанна Иерусалимского, называемый также Мальтийским.

История этого ордена началась в 1070 году, когда итальянский купец Панталеон Мауро из Амальфи основал близ Иерусалима странноприимный дом, или госпиталь (от латинского hospitolis — гость), посвященный св. Иоанну, патриарху Александрийскому, жившему в VII веке (впоследствии смененному на более известного покровителя — св. Иоанна Иерусалимского). Вскоре здесь образовалось небольшое братство, призванное ухаживать за больными и ранеными паломниками, приезжавшими из Европы поклониться Гробу Господню. Чуть позднее братство стало принимать в свои члены рыцарей, обязывая их защищать паломников в пути. Так возник «Орден всадников госпиталя св. Иоанна Иерусалимского», устав которого был утвержден в 1113 году папой римским.

Отличительным знаком иоаннитов уже в XIII веке был восьмиконечный белый крест, нашиваемый на черную монашескую рясу или красный рыцарский плащ. Члены ордена разделялись на три группы: рыцари, капелланы и низшая категория — служащие братья. Возглавлял орден Великий магистр.

После крестовых походов орден святого Иоанна Иерусалимского — военно-монашеская организация — возвратился в Европу и обосновался сначала на Кипре, а затем, в 1309 году, на острове Родос. В 1522 году после блокады и штурма турками поселений рыцарей-иоаннитов орден был вынужден покинуть и Родос. Через несколько лет ему удалось закрепиться на острове Мальта, откуда и пошло новое его название — Мальтийский. Рыцари-иоанниты под предлогом борьбы с «неверными» занимались

Emperor Paul had not once conferred on anyone either of the two orders founded by Catherine II though the Order of St. George and the Order of St. Vladimir were not abolished. The rest of the Orders — of St. Andrew, of St. Catherine, of St. Alexander Nevsky and the Holstein Order of St. Anne — had been lumped together into a single Russian Order of Knighthood where each was a mere «appellation», or «class», of the Order. In addition to which Paul I had introduced — whether with a view to belittling the Russian awards or not is hard to tell — the foreign Order of St. John of Jerusalem otherwise known as the Order of Malta.

The Order's history goes back to 1070, when an Italian merchant, Pantaleon Mauro of Amalfi, founded a hospice or hospital (from the Latin «hospitalis» — a guest) for pilgrims dedicated to St. John, Patriarch of Alexandria, of the 7th century. Later his place had been taken by a more popular patron saint — St. John of Jerusalem. Eventually, the enterprise grew into a fraternity whose duty it was to provide services for the sick and wounded pilgrims coming from Europe to worship the Holy Sepulchre. Later the fraternity was open to knights on the condition that they provide protection for pilgrims on their way to the shrine. Thus was founded the Order of the Knights Hospitallers of St. John of Jerusalem, whose Statute was approved in 1113 by the Pope.

Already in the 13th century, the Knights' badge was a white eight-pointed cross, sewn on the black habit of the monks or on the red cloak of the knights. The Order included three classes of members: knights, chaplains and the lower category of serving brothers. At the head of the Order was the Grand Master.

After the last crusade the militant monastic Order of St. John of Jerusalem returned to Europe and settled in Cyprus whence it moved to the island of Rhodes in 1309. In 1522, when the Turks had besieged and stormed the Order settlements there, the Knights Hospitallers were banished from Rhodes. Several years later they had found shelter on the island of Malta and were subsequently called also the Knights of Malta. Under the pretext of fighting the «infidels», the Knights quite often indulged in the most vulgar piracy in the Mediterranean and at the Northern coast of Africa. Occasionally it was a ship of

морским разбоем в Средиземном море и на северном побережье Африки. Нередко их жертвами становились и корабли христианских держав.

Первые контакты России с Мальтийским орденом относятся к концу XVII столетия. В 1697 году Петр I отправил боярина Бориса Петровича Шереметева с дипломатической миссией к нескольким государям Европы, в том числе к римскому папе Иннокентию XII и венецианскому дожу. Особой задачей Шереметеву было поставлено налаживание дипломатических и военных контактов с Мальтийским орденом как потенциальным союзником в борьбе с Турцией.

Из Венеции Шереметев направился на Мальту и 19 апреля 1697 года был встречен отрядом военных судов ордена, приветствовавших корабль российского посланника пушечной стрельбой. Этот день можно считать началом непосредственных контактов Российской державы с рыцарями ордена святого Иоанна Иерусалимского.

На Мальте петровский посол был встречен не менее торжественно, и, по собственным запискам Шереметева: «трактовали в обед и ужин преизрядными яствами и питием и конфетами разными, и трубач трубил». Дважды Борис Петрович был принят гроссмейстером, главой ордена Раймондом де Перейлосом де Рокафюлем. При второй, прощальной аудиенции гроссмейстер в знак приязни к России возложил на ее посланника знаки ордена святого Иоанна Иерусалимского, украшенные бриллиантами. Таким образом, Шереметев стал первым Мальтийским кавалером России.

Знаки ордена святого Иоанна Иерусалимского состояли из белого креста особой, весьма изящной формы на черной («монашеской») ленте и матерчатой звезды такой же формы, нашивавшейся на левую сторону груди. Впоследствии Шереметев использовал каждую возможность, чтобы появиться на людях с мальтийскими регалиями, что не всегда вызывало у соотечественников положительную реакцию. Так, секретарь австрийского посольства И. Корб писал в своем дневнике, что во время похорон известного деятеля петровского времени Франца Лефорта Борис Петрович шел в траурной процессии вместе с иностранными послами, «и это подало

a Christian country that fell prey to the Order militants.

The first contacts between Russia and the Knights of Malta were recorded in the late 1600s. In 1697 Peter the Great dispatched nobleman Boris Petrovich Sheremetev to several of Europe's rulers on a diplomatic mission; Sheremetev's itinerary included the Vatican and Venice where he was to visit Pope Innocent XII and the Doge of the Venetian Republic. Sheremetev had been expressly told by the Emperor to establish diplomatic and military contacts with the Order of Malta as a useful ally in war against Turkey.

From Venice Sheremetev proceeded to Malta where he was given a ceremonial welcome by the escort of the Order's war ships on April 19, 1697. That day, marked with a salute from the ships' guns, may be considered the starting point in the history of the relationship between the state of Russia and the Knights of St. John of Jerusalem.

The welcome given to the envoy of Peter I on the soil of Malta upon disembarkation was no less grandiose. To quote the notes made by Sheremetev himself, he was «treated at dinner and supper to the most exquisite viands and beverages, and all manner of confectionery, and a trumpeter sounded his trumpet». Twice Boris Petrovich had been given an audience by the Grand Master, Raymond de Perellos de Rocafull. Their last farewell meeting ended in the Grand Master decorating the Russian envoy with the Order insignia, as a sign of his good feelings towards Russia. Thus Sheremetev became the first Knight of the Order of St. John of Jerusalem in Russia.

The Order insignia comprised a shapely white cross worn on a black («monk's») ribbon and a cloth star of a similar shape sewn onto the left breast. After his successful trip Sheremetev never missed a chance to sport his Maltese badge in public, which was not always kindly received by his countrymen. Thus J. Korb, Secretary of the Austrian Embassy in Russia, wrote in his diary that Boris Petrovich had attended the funeral of the well-known public figure of the time, Franz Lefort, in the company of foreign ambassadors, «which elicited malicious comments by the Russians there present who asked one another with mockery if that was not the Ambassador from the Order of Malta».

And yet, Russia's relations with Malta

ИМПЕРАТОРЪ ПАВЕЛЪ I!

Возлагаетъ на Фельдмаршала Графа Суворова большой крестъ Св. Iоанна Iерусалимскаго 1799 года.

Соч. В. Чориковъ.   Печ. у Тюлина.   Рис. на Кам. Пе. Иванова.

*Знак ордена
св. Иоанна
Иерусалимского
2-й степени.*

*Badge of the Order of
St. John of Jerusalem
2nd Class.*

*Император Павел I
награждает генерал-
фельдмаршала
А. В. Суворова
высшей степенью
ордена св. Иоанна
Иерусалимского.*

*Emperor Paul I
awarding Field
Marshal
A. V. Suvorov with
the highest class of
the Order of St. John
of Jerusalem.*

повод русским с насмешкою злоречиво спрашивать друг друга, не посол ли это от Мальтийского ордена?»

Тем не менее контакты России с Мальтой продолжались, а в царствование императрицы Екатерины II русские морские офицеры даже проходили практику на боевых судах ордена. Был заключен официальный союз, направленный против Турции. Правда, к совместным действиям этот союз не привел, но в войне с турками на стороне России участвовало несколько добровольцев-офицеров Мальтийского ордена. Один из них, граф Юлий де Литта, с 1789 года служил на российском флоте и до 1793 года успел отличиться в нескольких сражениях, получил Золотую шпагу «За храбрость» и орден святого Георгия 4-й степени. На Мальту он вернулся в чине контр-адмирала. В отпускных документах его было написано: «вплоть до востребования». И уже через несколько лет, в 1796 году, при Павле I граф де Литта снова появляется в России, одновременно и как представитель Мальтийского ордена, и как адмирал российского флота. Ему было поручено заключить от имени ордена

flourished; and under Catherine II Russian naval officers had even made a habit of serving on board the Order warships, by way of training. A special treaty was signed to form an alliance against Turkey. True, it had not resulted in actual warfare against that country, but the Russians were joined in their fight against the Turks by a number of officer volunteers from the Order of Malta. One of those, Count Giulio de Litta, had served in the Russian navy from 1789, displaying sufficient courage in battle to have earned a gold sword «For Gallantry» and the Order of St. George fourth class by 1793. He returned to Malta in the rank of Rear-Admiral. His leave papers stated he had been discharged «till further notice». And a mere three years later, in 1796, under Paul I, Count de Litta had made his reappearance in Russia, at once in the capacity of the Order's representative and of a Rear-Admiral of the Russian Navy. He was under orders to enter into a convention with Russia, on behalf of the Order of St. John of Jerusalem, on the «resumption within the Russian Empire of the Grand Priory, and to assume the office of the Prior as the Knight of the Grand Cross».

124

Звезда ордена
св. Иоанна
Иерусалимского.

Star of the Order of
St. John of Jerusalem.

Знак ордена
св. Иоанна
Иерусалимского
3-й степени.

Badge of the
Order of
St. John of
Jerusalem
3rd Class.

Лицевая и оборотная
стороны дочатского
знака ордена
св. Иоанна
Иерусалимского.

Obverse and reverse
of «novice's» badge of
the Order of St. John
of Jerusalem.

конвенцию с Россией о «восстановлении в пределах Российской империи великого приорства и возглавить этот приорат как кавалеру Большого креста».

Граф Юлий Помпеевич де Литта, как его звали в России, привез с собой знаки ордена для Павла I и членов его семьи, с просьбой принять на себя покровительство ордену. Самому Павлу был преподнесен древний крест Великого магистра (хранящийся ныне в Московской Оружейной палате), и он, уже как член Мальтийского ордена, возложил знаки его на наследника Александра и свою жену. Позднее, уже из рук графа де Литты, знаки ордена получили младший брат Александра Константин и великие княжны.

Павлом были учреждены два приорства — католическое в Польше и русское православное, что было совсем необычным в истории ордена. 4 января 1797 года была подписана конвенция, по которой Мальтийский орден получал в России значительные права и денежные доходы. Покровительство Павла Мальтийскому ордену имело далеко идущие планы — создание в России мощного рыцарского сословия, которое могло стать помощником императору в борьбе с революционными идеями, распространявшимися в Европе.

Неожиданный захват в следующем, 1798 году, в течение одного дня острова Мальты французской эскадрой во главе с Наполеоном Павел счел как личное оскорбление. Он приказал эскадре под командованием Ф. Ф. Ушакова, крейсировавшей в Средиземном море, «действовать вместе с турками и англичанами против французов, яко буйного народа, истребляющего в пределах своих веру и богом установленные законы». Как видим, то обстоятельство, что в борьбе за веру приходится обратиться к помощи «неверных», не смутило императора.

Одновременно по предложению все того же графа де Литты на собрании высших российских сановников и кавалеров ордена, состоявшемся в Санкт-Петербурге 15 августа 1798 года, было решено сместить бывшего Великого магистра иоаннитов Фердинанда Гомпеша, обвинив его в «глупейшей беспечности», приведшей к изгнанию мальтийских рыцарей с острова, и просить принять это звание Павла I.

Count Julius Pompeo de Litta, as he was known in Russia, had brought with him the badges of his Order for Paul I and members of his family, to solicit the Monarch's patronage for the Order of St. John of Jerusalem. The Cross Paul I had received was the ancient Cross of the Grand Master (currently on display in the Moscow Armoury) upon which he, as a brand-new Knight of Malta, conferred the award on the Heir, Prince Alexander, and his wife. A little later the Order insignia were given to Alexander's younger brother Konstantin and to the Princesses Royal, this time by Count de Litta.

Paul I founded two Priories: a Catholic one in Poland and a Russian Orthodox Priory, which was rather extraordinary for the Order of Malta. On January 4, 1797, there was signed a convention granting considerable privileges and a regular income to the Order in Russia. Paul I intended to use his patronage of the Order eventually to create a powerful class of Knights in Russia, which might provide support for the Emperor in his struggle with revolutionary ideas then brewing in Europe.

The surprise seizure of Malta, within one day, by the French squadron under Napoleon in 1798 was taken by Paul I as a personal insult. He responded by ordering F. F. Ushakov, who commanded a Russian squadron patrolling the Mediterranean, to «join forces with the Turks and the English against the French, those people of unbridled ways who end all faith and the Lord's laws within their limits». Apparently, the idea of securing the assistance of «infidels» for the purpose of defending Christian faith did not disconcert the Emperor in the slightest.

At the same time, again on the suggestion of the ubiquitous Count de Litta, the conference of the top Russian dignitaries and holders of the Order of St. John of Jerusalem, convened on August 15, 1798 in St. Petersburg, decided to unseat the former Grand Master of the Order, Ferdinand Hompesch, charging him with «the most imbecile carelessness» which had occasioned the expulsion of the Knights of Malta from the island; the title of the Grand Master was offered to Paul I.

The acceptance of the high office by the Russian Emperor was marked with a lot of pomp on November 29, 1798. On the same

Торжественная церемония принятия титула Великого магистра российским императором состоялась 29 ноября 1798 года. В тот же день был обнародован указ об официальном учреждении в России ордена святого Иоанна Иерусалимского. По поводу этого события Державин сочинил поздравительную оду и тотчас же был удостоен креста Мальтийского ордена, украшенного бриллиантами.

Знак ордена святого Иоанна Иерусалимского был включен в государственный герб и государственную печать Российской империи. Ордену были переданы во владение дома, определены значительные денежные доходы. Звание «Великий магистр ордена святого Иоанна Иерусалимского» было включено в официальный титул императора. Была создана почетная гвардия Великого магистра, получившая красные форменные мундиры. Даже придворные лакеи с павловского времени стали носить красные ливреи (небезынтересно, что это платье просуществовало до 1917 года).

В орден святого Иоанна Иерусалимского мог вступить каждый, доказавший, что дворянство (непременное условие) получено его предками за боевые подвиги, причем не менее чем сто пятьдесят лет назад. Вступление в орден сопровождалось крупным денежным взносом — 1200 рублей для взрослых и 2400 — для несовершеннолетних, не достигших еще пятнадцатилетнего возраста.

Для двух командорств ордена, существовавших в России,— католического и православного — Павел передал иоаннитам 50 тысяч душ крепостных с землями в разных частях империи. Весь доход от их труда шел в орденскую казну и отдельным членам ордена.

Кроме государственных командорств, существовали в России и родовые командорства, бывшие также значительным источником доходов ордена. Для того чтобы учредить родовое, или фамильное, командорство, достаточно было иметь три тысячи «верного» ежегодного дохода с собственных имений и отчислять каждый год с него десять процентов в орденскую казну. Родовые командорства, ставшие наследственными, могли учреждаться каждый раз с разрешения императора. Учредитель и его наследники имели право носить

day was published a decree announcing the foundation in Russia of the Order of St. John of Jerusalem. The poet Derzhavin composed an exalted ode of felicitation on the occasion and was promptly rewarded with a Maltese Cross ornamented with diamonds.

The insignia of the Order of St. John of Jerusalem were incorporated in the state emblem and seal of Russia. The Order was given the writ of possession for real estate and considerable sums of money from the Treasury. The title of the «Grand Master of the Order of St. John of Jerusalem» was added to the official title of the Emperor. The next thing done was the institution of the Guards of Honour of the Grand Master whose members wore scarlet uniform. Even court footmen were dressed in scarlet liveries they had worn ever since the time of Paul I and until 1917.

The membership of the Order of St. John of Jerusalem was open to any nobleman who could submit proof that his title (a *sine qua non*) had been given to his ancestors for valour in battle, no less than 150 years previously. To join the Order, an adult had to pay a handsome fee of 1,200 rubles, which became 2,400 rubles for adolescents under fifteen.

To provide the bounties for the Order's Knights Commander in Russia — both Catholic and Orthodox — Paul I had given the Priories 50,000 serfs with the land in various parts of the Empire who worked to replenish the Order Fund and supplement the income of some of the members.

Apart from the state commanderies, there were also several family commanderies in Russia whose contribution to the Order's income was far from negligible. To found a family commandery, one needed nothing more than to draw 3,000 rubles a year from the family estate and pay one-tenth of that to the Order Fund. Family commanderies, which had become hereditary, were to be established with the Emperor's permission. The founder and his descendants were given the right to wear the Commander's Cross and uniform to match.

Paul I had also founded the institution of Honorary Commanders and Knights of the Order. These awards could be had by members of not-quite-so-old noble families. The honorary white crosses (worn over the neck by commanders and in the buttonhole by knights) were given as the order of merit, civil or

командорский крест и соответствующий мундир.

Павел учредил также институт почетных командоров и кавалеров ордена. Для получения этих наград (Мальтийский белый крест соответственно на шею или в петлицу) не надо было доказывать свое древнее дворянское происхождение. «Почетные» кресты давались за военные или гражданские заслуги перед государством и лично императором. Существовали также два класса ордена для награждения особ женского пола — большой и малый кресты.

Особым видом мальтийской награды стал «донатский» (послушнический) знак для нижних чинов. С учреждением в России ордена Иоанна Иерусалимского особым именным императорским указом от 10 октября 1800 года было повелено, чтобы «впредь установленным к получению Знаков Отличия св. Анны нижним чинам вместо оных даваны были донаты ордена св. Иоанна Иерусалимского». Эти солдатские награды представляли собой маленькие медные крестики «мальтийской» формы, на которых белой эмалью были покрыты лишь три конца — два горизонтальных и нижний, а верхний оставался металлическим. На оборотной стороне знака помещался порядковый номер, под которым его владельца заносили в общий список представленных к донату за двадцатилетнюю беспорочную службу, взамен установленного ранее за это Знака Отличия святой Анны.

Имеются сведения о выдаче наградного офицерского оружия, на котором помещалось уменьшенное изображение Знака Ордена святого Иоанна Иерусалимского. Выдавали в павловское время и знамена воинским частям с изображением на полотнище белого Мальтийского орденского креста.

После убийства Павла I его сын и преемник Александр I, вступив на престол, манифестом от 16 апреля 1801 года объявил себя протектором (покровителем) ордена, но вскоре последовало распоряжение об изъятии изображения Мальтийского креста из государственного герба. В 1803 году Александр сложил с себя звание протектора, а в 1817 году, 20 января было утверждено положение, что после смерти родовых командоров наследники не имеют права на это звание и не носят Знаков Ордена св. Иоанна Иерусалимского, так как орден этот более в России не существует.

military, for services rendered to the country or personally to the Emperor. There were two classes of the award for ladies — the Greater and the Lesser Cross.

A special kind of the length-of-service Maltese Cross for NCOs and men was the so-called Donatus («novice») badge. The Emperor's Edict of October 10, 1800 stated that «from now on lower ranks of servicemen awarded the Badge of Honour of St. Anne shall be given Donatus Crosses of the Order of St. John of Jerusalem in place of same». The Badge was in the form of a small Maltese cross made of copper, with the top end left uncovered and the other three bars in white enamel. The reverse side of the cross bore the index number under which its owner was registered in the general list of Donatus-holders with a record of twenty years of immaculate service — an achievement previously rewarded with the Badge of Honour of the Order of St. Anne.

There were cases of awarding to officers side-arms with a miniature replica of the badge of the Order of St. John of Jerusalem. The same insignia were used under Paul I to be placed on the standards given to military units.

After the assassination of Emperor Paul his son and successor Alexander I declared himself the Order's patron by a special Manifesto of April 16, 1801; but shortly afterwards the Maltese insignia were removed from the state emblem, and in 1803 Alexander I renounced the title of patron and protector of the Order. This was followed, on January 20, 1817, by a legal act under which heirs to family Commanders could no longer inherit the title after their death and had no right to wear the insignia of the Order of St. John of Jerusalem as the said Order did not exist in Russia any more.

ПОЛЬСКИЕ

ПО

ПРОИСХОЖДЕНИЮ

ОРДЕНА

THE ORDERS

OF POLISH ORIGIN

В 1705 году польский король Август II (он же саксонский курфюрст Фридрих Август 1) учредил орден Белого Орла[1]. Именно в это время в Польше находился русский царь Петр I, и при встрече монархов в Тыкоцине 3 ноября 1705 года были названы первые кавалеры ордена Белого Орла. Ими стали шляхтичи, поддерживавшие Августа в трудной и не вполне удачной войне со Швецией. Через несколько лет, в ноябре 1712 года, во время очередной встречи Петра и Августа они обменялись наградами — Петр возложил на польского короля орден св. Андрея Первозванного, а Август на русского царя — орден Белого Орла.

Первоначально польская награда представляла собой медальон с девизом «PRO FIDE, REGE ET LEGE» («За веру, короля и закон») и изображением белого орла, а позднее стала выдаваться в виде креста и звезды с тем же изображением и девизом. Причем при награждении этим орденом монарха слово «REGE» (правитель, король) заменялось словом «GREGE» (паства, общество). С такой надписью получил орден Белого Орла и Петр I.

Орден Белого Орла в виде медальона был роздан в весьма малом количестве, к тому же вскоре, в 1706 году, разбитый Карлом XII король Август II отрекся от польского престола, и ношение выданной им награды вряд ли поощрялось до 1709 года, когда после победы русских войск под Полтавой Августу удалось вернуть себе Польшу. Тогда же он заменил первоначальный вариант награды — медаль на обычный европейский орденский знак — крест. Крест ордена Белого Орла был красной эмали с белым эмалевым же кантом. На него был положен белый орел с распростертыми крыльями. Между сторонами креста находились четыре луча. Знак ордена носили на ленте белого цвета с двумя красными полосками. Дополнительными украшениями награды служили золотая корона и, как правило, бриллианты.

In 1705 Augustus II of Poland (alias Kurfürst of Saxony Frederick Augustus I) founded the Order of the White Eagle.[1] At precisely that time Peter I of Russia was visiting Poland, and at the meeting of the two Sovereigns in Tykocin on November 3, 1705, the first holders of the award were named. They were Polish noblemen who had backed up King Augustus in the difficult and not entirely successful war with Sweden. Several years later, in November 1712, another meeting between Peter the Great and Augustus II was marked by a decoration exchange: the Russian Emperor conferred on his Polish counterpart the Order of St. Andrew, while Augustus II reciprocated with the Order of the White Eagle.

Originally the Polish decoration was in the shape of a medallion that bore the motto «Pro Fide, Rege et Lege» («For Faith, King and Law») and a representation of a white eagle; later it was a cross and a star with the same image and motto. Incidentally, when the award was conferred on a monarch, the «Rege» of the motto was replaced by «Grege» (flock, community). That was the motto on Emperor Peter's White Eagle Order.

The medallion-shaped Order of the White Eagle had been given to a mere handful of people; besides, Augustus I soon suffered a resounding defeat at the hands of Sweden's Charles XII and had to abrogate, so that an award received from him was hardly regarded as a cause for pride until 1709, when the Russian victory at Poltava had allowed Augustus to recover the Polish Crown. Then he altered the Order insignia to conform to the European standard, a Cross. The Cross of the Order of the White Eagle was in crimson enamel with a white edge. Over it was placed a white eagle with its wings spread wide. The Order badge was worn on a white ribbon with two red stripes. The badge was further ornamented with a gold crown and, occasionally, diamonds.

In 1713 the white ribbon was replaced with a blue one. The cross and the star had

---

[1] Правда, некоторые исследователи считают временем появления ордена Белого Орла 1325 год в правление польского короля Владислава Локетка. Но эти сведения не вполне достоверны, во всяком случае на протяжении двух столетий, XV и XVI, сведения об этом ордене отсутствуют.

[1] Some experts actually argue that the Order of the White Eagle came into being in 1325, in the reign of the Polish King Ladislaus Lokietek. However, there is no reliable data in support of this view; at any rate there is no mention of the Order in any of the 15th- or 16th-century documents.

Шитая звезда
польского ордена
Белого Орла.

Embroidered star of
the Polish Order of
the White Eagle.

Знаки ордена Белого
Орла с вензелем
императора
Александра I.

Badges of the Order
of the White Eagle
with the monogram of
the Emperor
Alexander I.

Уменьшенный знак
ордена Белого Орла
для ношения на шее.

Badge of the Order of
the White Eagle,
reduced in size to be
worn on a neck
ribbon.

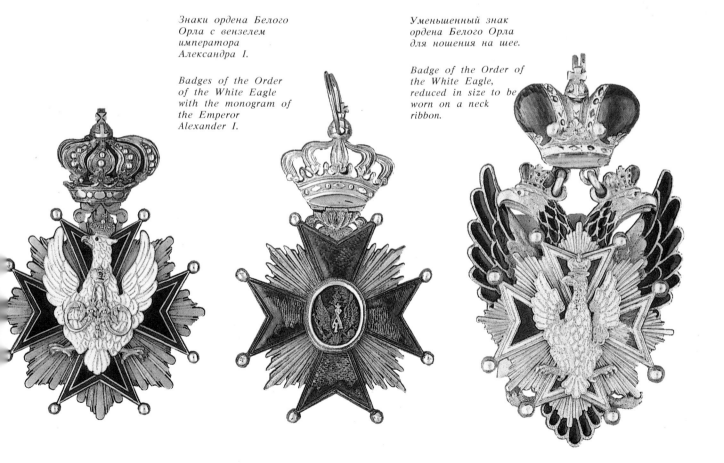

В 1713 году цвет ленты был изменен — она стала синей. Несколько раз впоследствии менялся внешний вид креста и звезды. В особо торжественных случаях орден носили на цепи, хотя никогда не подразделяли на степени.

В 1765 году был учрежден второй польский орден, св. Станислава. Его учредитель, король Станислав Август Понятовский, был тезкой святого, давшего имя новой награде. Краковский епископ XI века Станислав был убит во время богослужения прямо в костеле королем Болеславом и позднее, в XIII веке, причислен к святым и признан патроном Польши.

Знак ордена св. Станислава представлял собой крест красной эмали с четырьмя польскими орлами между лучами, в центральном медальоне — изображение св. Станислава с инициалами «SS» (святой Станислав) по сторонам фигуры. Позднее, когда орден стал российской наградой, вместо фигуры епископа остались лишь его инициалы. Девиз ордена «PREMIANDO INCITAT» (награждая, поощряет).

Станислав Август учредил еще один польский орден, чисто военную награду, что подчеркивало и его название — «VIRTUTI MILITARI» (воинской доблести). Этот орден, появившийся в 1792 году, получали польские офицеры, отличившиеся в шедшей в это время войне с Россией. Награда первоначально имела три степени — Большой, Командорский и Кавалерский, или малый, кресты. На лицевой стороне на черной эмали в центральном круглом медальоне изображен белый польский орел, а на лучах креста — разделенные на четыре части слова девиза. На оборотной стороне знака ордена, на лучах креста латинская аббревиатура «SARP» («Станислав Август король Польши»). В центральном медальоне изображение скачущего всадника — литовский герб «погонь». Ниже дата учреждения ордена: «1792». Впрочем, в том же году Станислав Август перешел на сторону поддерживавшей Россию Тарговицкой конфедерации и упразднил орден. Но впоследствии оказалось, что орден «Виртути милитари» пережил всех своих собратьев и дошел, правда, с большими иногда перерывами, до нашего времени.

В 1807 году после Тильзитского мира

undergone a few more transformations as well. On solemn occasions the decoration was to be worn on a chain, though it had always been in one class.

In 1765 a second Polish Order of Knighthood was founded — the Order of St. Stanislaus. Its founder, King Stanislaus Augustus Poniatowski, gave the Order the name of the cognominal saint. Stanislaus, an 11th-century bishop of Krakow, murdered in the middle of a church service by King Boleslaus, was canonised in the 13th century and proclaimed the Patron Saint of Poland.

The badge of the Order of St. Stanislaus is a cross in red enamel, with four Polish eagles placed between the extremities; the central medallion bears a representation of St. Stanislaus and his monogram «SS» on either side of the Saint's figure. Later, after the Order had been adopted as a Russian decoration, the Bishop's figure was removed and all that remained of the Saint was his initials. The Order motto was «Premiando Incitat» (Encourages by rewarding).

King Stanislaus Augustus had instituted one more Polish Order, a purely military one this time, which followed from its name — Virtuti Militari (of military virtue). The Order founded in 1792 was given to Polish officers displaying conspicuous bravery in the war with Russia waged at the time. The decoration was in three classes originally: the Great, Commander's and Knight's, or Lesser, Crosses. The obverse of black enamel had a round medallion in the centre bearing the Polish White Eagle; each extremity of the cross bore one of the four parts into which the motto was divided. The reverse side of the badge had the anagram «SARP» on the cross ends (Stanislaus Augustus Rex Poloniae). The central medallion bore a representation of the Lithuanian galloping horseman, the emblem of the Principality. Beneath was the date of the Order's foundation «1792». Although Stanislaus Augustus had gone over to the side of the pro-Russian Targowicka Confederation and abolished the Order almost as soon as he had instituted it, in the end it turned out to be the

Звезда, лента и знак 1-й степени ордена св. Станислава.

Star, ribbon and badge of the 1st Class of the Order of St. Stanislaus.

135

Шитая звезда ордена
св. Станислава.

*Embroidered star of
the Order of
St. Stanislaus.*

Вариант знака
ордена
св. Станислава
с темной эмалью.

*A specimen of
badge of the
Order of
St. Stanislaus
with dark
enamel.*

Звезда ордена
св. Станислава.

*Star of the
Order of
St. Stanislaus.*

Знак ордена
св. Станислава
1-й степени,
приспособленный для
ношения, при
наличии старших
орденов, на груди в
петлице мундира.

*Badge of the Order of
St. Stanislaus, adapted
to be worn in the
buttonhole on the
chest, with senior
orders present.*

Звезда ордена
св. Станислава.

*Star of the
Order of
St. Stanislaus.*

Знак ордена
св. Станислава
1-й степени.

*Badge of the Order of
St. Stanislaus
1st Class.*

Знак ордена
св. Станислава
1-й степени,
украшенный короной.
Вариант темной
эмали.

Badge of the Order of
St. Stanislaus
1st Class with
a crown. Dark enamel
type.

Знак ордена
св. Станислава
1-й степени темной
эмали.

Badge of the Order of
St. Stanislaus
1st Class. Dark
enamel type.

Варианты знаков
ордена
св. Станислава.

Various types of
badges of the Order
of St. Stanislaus.

Звезда ордена
св. Станислава с
мечами.

*Star of the Order of
St. Stanislaus with
swords.*

Знак ордена
св. Станислава
1-й степени с
мечами.

*Star of the Order of
St. Stanislaus
1st Class with swords.*

Наполеон I, объединивший часть польских земель в так называемое герцогство Варшавское, восстановил и старые польские ордена. Формально во главе герцогства стоял Фридрих Август, получивший разрешение Наполеона именоваться королем Польши. Но наличие на ордене «Виртути милитари» литовского герба, в то время как Литва попала в сферу влияния России, заставило Фридриха Августа, считавшегося гроссмейстером всех польских орденов, ввиду неудовольствия российского императора Александра I, заменить литовскую «погонь» на легенду «REX ET PATRIA» («Правитель и отечество»). Дата «1792» была сохранена.

После поражения Наполеона и разгрома его империи польские ордена ненадолго упраздняются. Уже в 1815 году провозгласивший себя королем Польши Александр I в одной из статей Конституционного закона Царства Польского провозгласил: «Польские воинские и гражданские ордена, то есть ордена Белого Орла, св. Станислава и Военного креста («Виртути милитари».— В.Д.), сохраняются». Первоначально это были награды лишь для жителей Польши.

Во время так называемого «Польского мятежа» 1831 года российское правительство грубо оскорбило национальные чувства поляков, давая этот орден, учрежденный в свое время за подвиги в сражениях с Россией, участникам подавления восстания против российского владычества в Польше. Впрочем, и сами восставшие также награждали своих воинов в 1831 году такими же орденами, но с восстановленным на них литовским гербом. Награды же, выдававшиеся русским командованием за подавление восстания, имеют на оборотной стороне дату «1831». Подразделялись они (с 1807 года) уже не на три степени, как раньше, а на пять. Право на награду получили и низшие чины, участвовавшие в военных действиях против поляков.

После 1831 года награждение в Российской империи орденом «Виртути милитари» полностью прекратилось, и награда эта возродилась лишь с получением Польшей в 1918 году государственной независимости. Любопытно, что первые после 90-летнего перерыва Знаки ордена «Виртути милитари» были выданы 7 августа 1920 года 10 польским офицерам и

hardiest of its brethren and has survived, albeit with periods of suspension, sometimes considerable, to the present time.

In 1807, after the Tilsit peace treaty, Napoleon I united some of the Polish lands into the so-called Warsaw Dukedom; while doing this, he also revived the original Polish Orders. The formal head of state was Frederick Augustus who had Napoleon's permission to title himself King of Poland. But the presence of the Lithuanian emblem on the Virtuti Militari Cross, when the country itself was under Russian jurisdiction, induced Frederick Augustus, the Grand Master of all Polish Orders, to replace the Lithuanian norseman by the legend «Rex et Patria» («King Fatherland»), not to antagonise the Russian Emperor Alexander I. Tne «1792» legend had been left intact.

When Napoleon was defeated and his empire collapsed, the Polish Orders were temporarily abolished. Already in 1815, though, Alexander I, who had proclaimed himself King of Poland, stated in one of the Constitution articles of the Kingdom of Poland: «The Polish Orders of merit, both military and civil, to wit the Order of the White Eagle, of St. Stanislaus and of the Military Cross (Virtuti Militari — V. D.) are to be preserved». At first the Orders were conferred exclusively on Polish citizens.

At the time of the so-called Polish mutiny of 1831, the Russian government had deeply wounded the Poles' national pride by conferring the Polish military award, originally founded to mark the valour of fighters against Russia, on the more active suppressors of the revolt against Russian rule in Poland. However, the insurgents had themselves used this decoration in 1831, though with its original image of the Lithuanian horseman. The awards given by the Russian authorities differed from the Polish ones in having «1831» stamped on the reverse side and being graded in five classes instead of three (since 1807). Servicemen of lower ranks could likewise be given the award for distinguishing themselves in action against the Poles.

After 1831 the Virtuti Militari decoration was never conferred in the Russian Empire; the Order was not revived until 1918, with Poland getting national sovereignty. By a curious coincidence, the first decorations after the 90-year break were awarded on August 7,

Лицевая и оборотная
стороны ордена
«Виртути милитари»
2-й степени.

Obverse and reverse
of the Order of
Virtuti Militari
2nd Class.

Знак ордена
«Виртути милитари»
3-й степени.

Badge of the Order of
Virtuti Militari
3rd Class.

25 солдатам за отличие в сражениях советско-польской войны.

Еще раз эта почетная воинская награда была восстановлена в конце второй мировой войны. И наряду с польскими солдатами, офицерами и генералами, заслужившими этот знак отличия в боях с фашистами, сотни советских воинов, отличившихся при освобождении территории Польши от гитлеровцев, стали кавалерами «Виртути милитари».

Ордена же Белого Орла и св. Станислава просуществовали в Российской империи до 1917 года. После восстания 1831 года император Николай I включил эти две награды в число российских орденов. При этом белый польский орел был положен на черного российского орла, а польская корона заменена российской императорской.

Орден Белого Орла стал одним из самых высоких отличий государства, значась по старшинству сразу после ордена св. Александра Невского. Его получил, например, знаменитый русский адмирал П. С. Нахимов за оборону Севастополя во время Крымской войны в 1855 году, незадолго до своей героической гибели. Такой же награды был удостоен известный художник И. К. Айвазовский. Звезда ордена Белого Орла, которую он получил, хранится сейчас в Историческом музее в Москве.

После Февральской революции 1917 года Временное правительство России сохранило почти в неприкосновенности старую царскую наградную систему. Лишь со Знаков орденов Белого Орла и св. Станислава были убраны царские короны, да на звезде ордена Белого Орла девиз, в котором упомянут «правитель», был заменен изображением веточки. Впрочем, на Знаке ордена Белого Орла короны были убраны лишь с черного российского орла, на белом же польском орле корона была оставлена.

1920 to ten Polish officers and twenty-five privates for their courage in the war with Soviet Russia.

The Order's second and final comeback happened at the end of the Second World war. And then there were hundreds of Soviet military men decorated with the honorary Polish award, alongside scores of Polish soldiers, from privates to generals. The former had earned their Virtuti Militari Crosses by liberating Polish lands from the German invaders.

But the Orders of the White Eagle and of St. Stanislaus remained in use in the Russian Empire till 1917. After the 1813 rebellion, Nicholas I included these two awards in the Russian system of Orders of merit. Then the White Eagle of Poland was «superimposed» on the Russian black one, while the Polish crown was replaced by the Russian imperial analogue.

The Order of the White Eagle became one of the highest awards of the state, ranking second to the Order of St. Alexander Nevsky. It had been conferred on the eminent Russian Admiral P. S. Nakhimov for the defence of Sevastopol in the Crimean War in 1855, shortly before the hero's tragic death. Another person honoured with it was the well-known artist I. K. Aivazovsky. The Star of the Order of the White Eagle he had been given is now an exhibit in the History Museum in Moscow.

After the February 1917 Revolution, the Provisional Government preserved the imperial award system in its entirety, more or less, apart from a few superficial alterations. Thus the Orders of the White Eagle and St. Stanislaus had lost their crowns, and the former's motto with the word «Rex» in it was prudishly replaced with an innocuous branch. However, it was only the Russian Eagle that had been decrowned, the white Polish bird had retained its regal ornament.

«ЖЕНСКИЕ»

НАГРАДЫ

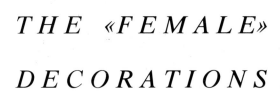

THE «FEMALE»

DECORATIONS

Заканчивался 1916 год, третий год первой мировой войны. В Капитуле орденов — учреждении, ведавшем в дореволюционной России наградным делом — подводили итоги выдачи знаков отличия за год. Высшую награду империи, орден святого Андрея Первозванного, получили двое, в том числе японский наследный принц Хирохито. Генералы и высшие гражданские сановники удостоились орденов Александра Невского и Белого Орла — соответственно 105 и 171 человек. Тысячи были отмечены менее высокими знаками отличия.

В списках, выданных в 1916 году Капитулом, упомянута лишь однажды награда, названная в документе «орденом святой Равноапостольной княгини Ольги 2-й степени», которую получила вдова полковника Вера Николаевна Панаева. Этот случай так и остался единственным в истории отечественной наградной системы. Ни до, ни после этого знак отличия, носивший имя древнерусской княгини и предназначавшийся в награду исключительно женщинам, более не выдавался. Но в российской истории и раньше существовал «женский» орден, учрежденный за два столетия до этого...

В 1711 году Петр I предпринял окончившийся неудачей так называемый Прутский поход против турок. В ходе его русские войска, насчитывавшие 38 тысяч человек, были окружены 188-тысячной турецкой армией. Лишь благодаря искусным дипломатическим переговорам и подкупу турецких военачальников удалось избежать полного разгрома русской армии. При этом находившаяся вместе с Петром в походе его жена Екатерина отдала, по преданию, все свои драгоценности, которые она захватила с собой, для подкупа турецких послов. Правда, окруженная врагами русская армия накануне переговоров дала им настолько сильный отпор, что на следующий день лучшая часть турецкой армии, янычары, отказалась снова идти на штурм русского лагеря. После заключения почетного для русских в их положении перемирия, в чем не последнюю роль сыграли драгоценности Екатерины, к турецкому визирю Мехмет-паше, командовавшему армией Порты,

1916, the third year of the First World War, was drawing to a close. The Chapter of Orders, an office in charge of all decoration business in Russia before the revolution, was tidying up its annual statistics. The premier Russian award — the Order of St. Andrew the First-Called — had been conferred on two persons, one of them Heir to the Japanese throne, Prince Hirohito. A number of generals and top civil servants had been given the Order of St. Alexander Nevsky and the Order of the White Eagle: 105 and 171 people, respectively. Thousands more had been decorated with lesser awards.

In the 1916 lists issued by the Chapter there is a single mention of a decoration described in the document as «the Order of the Apostolic Saint Princess Olga second class». The unique award had been conferred on a colonel's widow, Vera Nikolaevna Panaeva. And so it remained unique in the history of Russian Orders of merit. Never had another woman, before of since, been decorated with a badge of honour bearing the name of the Old Russian Princess and meant solely for ladies. Yet, Russian ladies were not entirely disregarded by the imperial system of awards, for a «ladies'» order had been instituted two hundred years earlier.

In 1711, at the battle of the Pruth, Peter the Great came uncomfortably near to a rout of his army. The Russian troops 38,000 strong had been surrounded by 188,000 Turks, and but for the artful diplomacy and generous bribes to the Turkish generals, would have surely suffered a most ignominious defeat. Peter's wife Catherine I, who was with him there, had given all her jewellery and valuables to buy off the Turkish emissaries, or so the legend goes. True, the Russian army, cornered by the enemy, had just given some of the Turks so good a beating that the choice janissary units refused to repeat their attack on the Russian positions the next day. After a truce was agreed upon, on sufficiently honourable terms for the Russians under the circumstances, which Catherine's jewels had doubtless conduced towards, the furious Charles XII stormed into the headquarters of the Turkish dignitary, Mehmet Pasha, the Grand Vizier who was in command of the army of Porta, and tried to browbeat the

прискакал разъяренный Карл XII и пробовал убедить его, что выпускать русских из окружения ни в коем случае нельзя. На это визирь ответил, «что ты де их (русских) уже отведал, а и мы их видели, и буде хочешь, атакуй их своими людьми», а он «мира с ними постановленного не нарушит». В тот же день русская армия покинула свой лагерь.

Несколько позднее, в 1713 году, в память об этом событии и в ознаменование достойного поведения Екатерины в том несчастливом походе был разработан статут нового ордена, который первоначально назывался орденом Освобождения («Свобождения») и предназначался в награду лишь самой Екатерине. 24 ноября следующего, 1714 года, в день тезоименитства царицы, она получила эту награду из рук самого Петра.

С момента основания ордена его главой становилась царица (позднее императрица). Кроме нее, Знаки ордена Большого креста, или высшей степени, имели право носить принцессы царской (императорской) крови, «сколько есть», а также еще не более 12 других дам. Знаки второй степени могли получить не более 94 дам. Первая, высшая степень награды представляла собой крест (первоначально иногда овальный медальон) с изображением святой Екатерины. Носили награду вначале на ленте белого цвета, позднее — красного с серебряной каймой. К знаку (кресту) первой степени — его носили на широкой ленте через правое плечо — добавлялись восьмилучевая звезда с помещенным на ней орденским девизом: «За любовь и отечество». Вторая степень ордена, получившего впоследствии официальное название «орден святой Великомученицы Екатерины», представляла собой крест на банте соответствующего цвета. Его носили на левой стороне груди. Звезда к этой степени награды не полагалась.

Несмотря на указанное в статуте ордена число «кавалерственных дам» (вторая степень награды) и «дам Большого креста» (первой степени), при жизни Петра I им никто, кроме Екатерины, не был награжден. Но после смерти императора, когда на престол взошла его жена, началось пожалование и других дам империи. Так, при царствовании Екатерины I было выдано семь орденов, при Елизавете Петровне — тринадцать. При

Oriental gentleman into keeping the Russians hemmed in. The Turk replied to this that as the Swedish monarch had had his taste of the Russian fighting style, so had «we seen them in action, and if you are so keen on doing battle with them, you can send your own people in», while the Turks were determined to observe the peace agreement. On the same day the Russian army had withdrawn from its camp unmolested.

Somewhat later, in 1713, to commemorate the happy deliverance and as a tribute to Catherine's praiseworthy conduct in that infortunate campaign, a new order statute had been worked out to institute an award, originally named the Order of Rescue, at first used for decorating Catherine herself and then only once. On November 24 the next year, her Saint's day, the Tsarina received the award from the hands of Peter the Great.

Since the Order's foundation the Tsarina (the Empress-to-be) had been its head and patroness. Apart from her, the Grand Cross insignia, or the highest class of the Order, could be worn by Princesses Royal, «as many as there happened to be», and no more than twelve other ladies. Second-class awards were limited to 94. The first-class insignia were in the shape of a cross (at first used interchangeably with an oval medallion) with a representation of St. Catherine. The original colour of the Order ribbon was white, later it was crimson with a silver edge. The first-class Cross was worn on a broad ribbon over the right shoulder and went with an eight-pointed star bearing the motto «For Love and Fatherland». The second class of the award, later named the Order of the Holy Martyr St. Catherine, was a cross worn on the left breast attached to a Bow of the Order ribbon. This class of the award had no star.

Though the Statute gave a fixed number of «Dames» allowed to hold the second class of the award and of the «Dames of the Grand Cross» (holders of the Order of St. Catherine first class), under Peter the Great Catherine herself had been the only one. After the Emperor's death, however, when his wife took over, other ladies of the realm began to be admitted to the Order. There were seven such ladies in the reign of Catherine I; thirteen

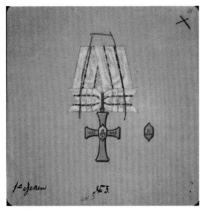

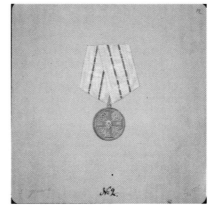

Проектные рисунки
Знаков ордена
св. Ольги.

Лицевая и оборотная
стороны Знака
Отличия св. Ольги
1-й степени.
Реконструкция.

Лицевая и оборотная
стороны Знака
Отличия св. Ольги
3-й степени.

Designer's sketchers
of badges of the
Order of St. Olga.

Obverse and reverse
of the St. Olga Badge
of Honour 1st Class.
Reconstruction.

Obverse and reverse
of the St. Olga Badge
of Honour 3rd Class.

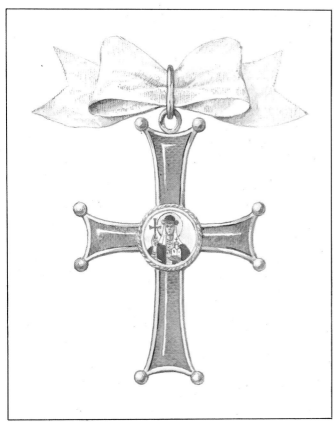

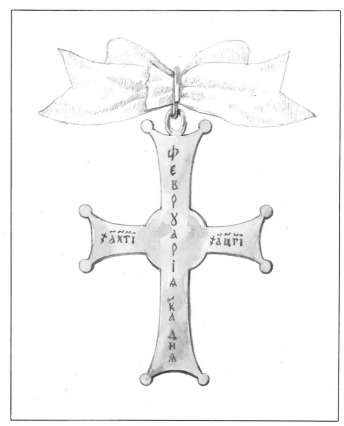

Вера Николаевна
Панаева — мать
троих офицеров —
Георгиевских
кавалеров, погибших
в 1-ю мировую войну.
Единственная
удостоенная Знака
Отличия св. Ольги.

Штаб-ротмистр
Гурий Панаев.

Ротмистр Борис
Панаев.

Ротмистр
Лев Панаев.

Vera N. Panaeva,
mother of three
officers, all of them
holders of the Order
of St. George, who
perised in the First
World War. The only
person awarded the
St. Olga Badge of
Honour.

Staff Captain Gury
Panaev.

Captain Boris Panaev.

Captain Lev Panaev.

Екатерине II сорок одна дама получила право носить этот почетный знак отличия. И в последующие годы число награжденных росло. При Александре I награду получили 139 человек, при Николае I — 176. Затем — спад. В правление Александра II женскую награду заслужили только 112 дам, а при следующем императоре, Александре III, еще меньше — 64. В царствование Николая II это число несколько увеличилось — до 105 награжденных. Всего же орден святой Великомученицы Екатерины был выдан 734 раза.

Не обошлось и без курьеза. Дамской наградой был отмечен малолетний сын известного А. Д. Меньшикова — Александр. Он получил орден 5 февраля 1727 года за слишком застенчивый, «женский» характер и был включен в официальный список награжденных этим орденом. Известен даже его портрет, на котором А. А. Меньшиков изображен со Знаками ордена святой Екатерины.

В 1855 году, в связи с некоторыми изменениями в системе российских наград, появился проект особого вида орденского костюма для дам, удостоенных ордена святой Екатерины. На рисунках известного художника А. Шарлеманя, сохранившихся в архивах, до нас дошли неосуществленные проекты орденских костюмов для дам. В торжественные дни дамы, удостоенные ордена святой Екатерины, должны были появляться в обществе в особых платьях, задуманных в древнерусском стиле, в виде сарафана, в кокошнике. Знак ордена по проекту в таких особых случаях предполагалось носить на цепи, подобно ордену святого Андрея Первозванного. Поверх сарафана накидывалась мантия, причем «для великих княгинь, великих княжен и для принцесс владетельных домов» (то есть для представительниц иностранных владетельных династий.— В. Д.) мантии должны были, по проекту, подбиваться горностаем.

В 1877 году появился проект, также не осуществленный, в котором предлагалось установить в дополнение к ордену святой Екатерины особый Знак отличия этого ордена, наподобие Знака Отличия Военного ордена, то есть Георгиевского креста. Не будучи собственно орденом, Екатерининский Знак отличия планировался как награда для

under Elizabeth (Elizaveta Petrovna); and as many as forty-one under Catherine II. The numbers continued to grow. In the reign of Alexander I, 139 ladies received the award, and 176 under Nicholas I. After which there was a drop. At the time of Alexander II, only 112 ladies had been deemed worthy of the honour, while the reign of Alexander III had yielded an all-time low, as it were — a mere 64. Under Nicholas II the number of decorations rose to 105. The total number of the awards given was 734.

And thereby hangs a tale. The ladies' Order had been conferred on the young son of Alexander Menshikov, a well-known associate of Peter I. Alexander Jr. was decorated on February 5, 1727, for his somewhat «girlish» diffidence. His name had been entered in the official list of award holders, and there is even a painting showing Menshikov's son with the insignia of the Order of St. Catherine.

In 1855, together with a whole set of changes introduced into the Russian award system, there appeared a design of special dress for the Order of St. Catherine Dames. A distinguished court painter, A. Charlemagne, had made a few sketches preserved in the archives. His rather fanciful ideas had never been realised, though. The dress for solemn occasions was supposed to consist of a stylised Russian sarafan, a pinafore-like garment, and a kokoshnik — a richly ornamented high headdress with ribbons at the back. The Order badge was to be worn on a chain, in the manner of the Order of St. Andrew. The sarafan was topped with a mantle which had to be ermine-lined if worn by «Princesses Royal, both of the Russian and foreign ruling dynasties».

Another plan conceived in 1877 had suffered the same fate. It envisaged adding a badge of honour to the Order of St. Catherine, in imitation of the Badge of Honour of the Military Order of St. George. The St. Catherine Badge of Honour, not being an Order, had been intended as a decoration for the less high-rankind ladies, which were in fact all those who qualified for the Order of St. Catherine for exceptional «feats» of mercy and charity (that being the time of the

не столь высокопоставленных дам, какими были все без исключения удостаивавшиеся ордена Екатерины за особые «подвиги» милосердия и благотворительности (вспомним, что с апреля 1877 года уже шла русско-турецкая война). Сохранились пробные Знаки отличия ордена в виде небольших овальных медальонов, увенчанных императорской короной. Предполагалось учредить две их степени — высшая имела корону золотую, вторая степень — серебряную. Но замысел так и остался замыслом.

Наградой, выдаваемой женщинам в связи с военными событиями, стал знак отличия, носивший имя княгини Ольги (мы упомянули о нем в самом начале главы). Основанное в 1907 году общество святой Ольги в январе 1913 года, накануне празднования 300-летия дома Романовых, предложило учредить особый орден, носящий имя древнерусской княгини, возведенной православной церковью в ранг равноапостольных святых, за следующие отличия (первоначально для лиц обоих полов): 1) За усилия по укреплению и распространению православной веры (как память о крещении Ольги и ее успехах на этом поприще); 2) «За подавление народных мятежей» (в связи с усмирением восстания древлян и как отголосок событий 1905 года); 3) «За усовершенствование государственного и культурного быта» (звучит несколько витиевато, но в общем понятно); 4) «За оборону крепостей» (в память защиты Киева от печенегов); 5) «За воспитание юношества» (Святослав, сын Ольги, и его дружинники); 6) Матерям героев (единственный сын Ольги, уже упоминавшийся Святослав, погиб в бою).

В результате обсуждения этого проекта было решено в числе прочих юбилейных наград учредить Знак Отличия для женщин, работавших в государственных учреждениях, для врачей и преподавателей. Но до 1914 года новая награда так и не была узаконена.

В связи с начавшейся первой мировой войной снова вернулись к этой идее — учредить награду для женщин за подвиги милосердия и мужества, но не орден, а лишь Знак Отличия святой Ольги. При этом художникам, работавшим над проектом будущего знака отличия, было поставлено несколько условий: чтобы не предлагали

Russian-Turkish War that started in April 1877, there were plentiful opportunities for this kind of merit). A few sample specimens surviving to this day are oval-shaped medallions surmounted by an imperial crown. They were to be in two classes — the first was to have a gold crown, the second, a silver one. But for reasons unknown to us the Badge had never materialised.

The war-time award for women was the Badge of Honour of St. Olga mentioned at the beginning of this chapter. The Society of St. Olga founded in 1907 suggested instituting a special award in the name of the canonised Russian Princess on the eve of the festivities marking the third centenary of the ruling imperial dynasty, in January 1913. The decoration was to be given for the following meritorious acts (initially as performed by persons of either sex): (1) efforts to strengthen and spread Orthodox Christianity (in memory of St. Olga's baptism and her successful missionary work); (2) putting down popular riots (by analogy with the suppression of a revolt of an ancient Slav tribe and as an echo of the 1905 unrest); (3) improvements to the government service and general way of life (sounds a trifle sweeping perhaps, but with a little imagination one can see what was meant); (4) fortress defence (in memory of the defence of Kiev against nomadic hordes); (5) educating the youth (parallels with Olga's son Sviatoslav and his men at arms); and (6) bringing up a war hero (the afore-mentioned Sviatoslav, Princess Olga's only son, had perished in war).

After a lengthy debate on the project it was decided to institute, among other Jubilee awards, a special Badge of Honour for women in government offices, doctors and teachers. But nothing was done until 1914.

The First World War had revived the idea of an award for women displaying outstanding courage and mercy, though not of a proper Order but a mere badge of honour in the name of St. Olga. The artists commissioned to do the job were told to design a badge for wearing on the dress, without any shoulder ribbons or anything like that, for it was not an Order; at the same time the new badge

ленту через плечо, так как это не орден; на шее также носить его нельзя — предполагалось прикреплять знак на женское платье; по форме он должен отличаться от других наград.

Осенью 1914 года были отобраны три проекта трехстепенного Знака Отличия святой Ольги. Из них Николай II утвердил проект, предложенный генерал-майором М. С. Путятиным, начальником Царскосельского дворцового управления. Имеются сведения об участии в разработке эскизов будущей награды (видимо, советами) императрицы Александры Федоровны.

Параллельно разрабатывался статут Знака Отличия. Наградой должны были жаловать «исключительно лиц женского пола, во внимание к заслугам женщин на различных поприщах государственного и общественного служения, а равно к подвигам и трудам их на пользу ближнего».

Знак имел три степени. Высшая, первая, представляла собой особой формы крест, покрытый голубой эмалью с лицевой стороны. По периметру креста — золотой чеканный ободок. В центральном круглом медальоне, обрамленном золотым ободком, помещалось изображение святой Ольги на золотом поле. На оборотной стороне креста — надпись славянскими буквами, обозначающая дату, послужившую поводом для учреждения награды — «21 февраля 1613—1913», то есть 300-летие дома Романовых. Вторая степень — такой же крест, но все золотые детали заменяются серебряными. Наконец, третья, низшая степень — овальный медальон с прорезным крестом в середине той же формы, как и кресты высших степеней. Все три степени надлежало носить на левом плече на банте из белой ленты, причем знаки низших степеней не должны были сниматься при пожаловании более высоких.

Для получения третьей степени награждаемая должна была иметь не менее 10 лет государственной или общественной службы, второй степени — не менее 20 лет и высшей, первой степени — не менее 30 лет. Интервал между награждениями предполагался не менее 5 лет. Особый пункт предусматривал вручение знака «матерям героев, оказавших подвиги, достойные увековечения в летописях Отечества».

Вера Николаевна Панаева, ставшая

had to be distinctly different from other awards.

By the autumn of 1914 four designs had been selected. Of those four Nicholas II picked out the Badge of Honour of St. Olga in three classes designed by Major-General M. S. Putiatin, head of the Palace Administration in Tsarskoe Selo. There is evidence of the Empress Alexandra Fedorovna taking part in the work on the design (presumably by offering advice).

A Badge of Honour statute was worked out simultaneously. The award was to be conferred exclusively on women, «in recognition of meritorious actions performed by women in various spheres of state and community service, or self-sacrificing work for the benefit of the people».

The first class of the award was a cross with the obverse in light-blue enamel. The limbs of the cross were edged with gold. The round medallion in the centre, also gold-rimmed, showed St. Olga in the golden field. The reverse of the cross had a legend in old Slavonic script «February 21, 1613—1913», i.e., the Tricentenary of the House of Romanov — the date that had served as a pretext for instituting the award. The second class had an identical cross, though silver where the first-class cross was gold. And finally, the lowest, third, class of the Badge was in the shape of an oval medallion with a cut-through cross in the middle that was a replica of the higher-class crosses. All three were to be worn pinned to the left shoulder on a white bow; lower-class awards continued to be worn if a higher-class badge was given to the holder.

The Badge of Honour third class implied no less than ten years in government or community service; the term for the second-class award was twenty years, with ten more for the highest class. At least five years had to pass between two consecutive decorations. A special Statute article envisaged conferring the award on «mothers of the heroes whose glorious deeds merit a place in the annals of the Country».

Vera Nikolaevna Panaeva, the only lady decorated with the Badge of Honour of St. Olga, had lost three sons in the war; they

единственной женщиной, награжденной Знаком Отличия святой Ольги, потеряла в сражениях первой мировой войны троих сыновей, офицеров двенадцатого Ахтырского гусарского полка: ротмистров Бориса и Льва и штаб-ротмистра Гурия. Все три брата были Георгиевскими кавалерами.

Семья Панаевых хорошо известна в истории отечественной культуры. Владимир Иванович Панаев (1792—1859) был в свое время популярным поэтом. Его племянник Иван Иванович Панаев (1812—1862) — писатель, журналист, один из редакторов «Современника», который он возродил вместе с Н. А. Некрасовым. Значительный след в мемуарной литературе оставили «Воспоминания» жены Ивана Ивановича Авдотьи Яковлевны Панаевой (Головачевой), без знакомства с которыми невозможно полно представить литературную жизнь России середины XIX столетия.

Семья Панаевых дала Отечеству славных воинов. Дед братьев-героев Александр Иванович (университетский друг С. Т. Аксакова, о котором писатель неоднократно вспоминает в своей «Семейной хронике») участвовал офицером в Отечественной войне 1812 года, был отмечен за храбрость двумя видами наградного оружия — Золотым и Аннинским. Его сын Аркадий Александрович (1822—1889), большой знаток кавалерийского дела, отличился во время Крымской войны, получив несколько боевых наград. С 1859 года он находился в отставке в чине полковника.

У Аркадия Александровича было четверо сыновей. Трое из них служили в одном полку — двенадцатом Ахтырском гусарском генерала Дениса Давыдова. Старший из сыновей, Борис Панаев, участвовал еще в русско-японской войне, был два раза ранен, награжден четырьмя боевыми орденами, одним из них за то, что вывез из-под вражеского огня на своем коне раненого вестового, нижнего чина. Он погиб первым в возрасте тридцати шести лет. В бою 15 августа 1914 года, в самом начале войны, со своим эскадроном атаковал вражескую кавалерийскую бригаду и, несмотря на то, что был дважды ранен, продолжал вести эскадрон в атаку. Третья пуля, в висок, прервала жизнь Бориса Панаева. Посмертно указом от 7 октября

were officers of the 12th Akhtyrsky Hussars — Captains Boris and Lev and Staff Captain Gury. All three brothers had been holders of the St. George awards.

The Panaev family is a well-known name in the history of Russian culture. Vladimir Ivanovich Panaev (1792—1859) was a poet, fairly popular in his time. His nephew Ivan Ivanovich Panaev (1812—1862), a writer and a journalist, had revived, with poet Nikolai Nekrasov, the Pushkin-founded literary magazine *Sovremennik* (Contemporary), of which he was an editor. The «Memoirs» by his wife, Avdotia Yakovlevna Panaeva (née Golovacheva) were a particularly bright fragment in the canopy of literary life in the mid-1800s in Russia.

The family had also given the country some fearless fighting men. The grandfather of the three brothers, Alexander Ivanovich (a university friend of the writer S. T. Aksakov who features prominently in the latter's «Family Chronicle») was an officer at the time of the 1812 War; he had been awarded two kinds of «For Gallantry» side-arms — Gold and St. Anne's. His son Arkady Alexandrovich (1822—1889), a skilled cavalryman, had distinguished himself during the Crimean War, collecting a number of awards for valour. In 1859 he retired in the rank of colonel.

Arkady Alexandrovich had four sons. Three of them served in the same hussar regiment commanded by General Denis Davidov. Boris, the eldest, had taken part in the Russian-Japanese War of 1904—1905. Twice wounded, he emerged from the war with four military orders of merit, one of them received for taking his wounded runner on his horse to safety under enemy fire. He was the first to get killed at the age of thirty-six. At the very start of the war, on August 15, 1914, he led his squadron in an attack against an enemy cavalry brigade, and continued to command his men regardless of the two wounds he had received. A third bullet, though, hit him in the temple. Captain B. A. Panaev was awarded, posthumously, the Order of St. George fourth class — the highest-valued Russian military award — on October 7, 1914. Before the war, in 1909, Boris Panaev had published a book

1914 года ротмистр Б. А. Панаев был награжден орденом святого Георгия 4-й степени — самой почетной русской боевой наградой. Борис Панаев еще до войны, в 1909 году, опубликовал в числе других работ по кавалерийской тактике книжку «Командиру эскадрона в бою». В ней он, в частности, писал: «Жалок начальник, атака части коего не удалась — отбита, а он цел и невредим». Подтверждая свою теорию делом, Борис Панаев погиб (оказавшись единственным убитым с нашей стороны в этой атаке) и стал одним из первых Георгиевских кавалеров, награжденных посмертно.

Вторым из братьев погиб через две недели в Галиции штаб-ротмистр Гурий Панаев. Во время кавалерийской атаки он увидел, что лошадь под одним из гусаров убита, а всадник ранен. Верный боевому братству Гурий соскочил с коня, перевязал раненого и посадил в свое седло. Сразу же после этого вернулся в строй. Он был убит в конной атаке. Посмертно, в тридцать пять лет, стал кавалером ордена Георгия 4-й степени.

В том же бою 29 августа участвовал и ротмистр Лев Панаев. За отличие в атаке, в которой был убит его брат, Лев заслужил Золотое Георгиевское оружие за то, что «личным примером довел эскадрон до удара холодным оружием, несмотря на встреченные окопы и убийственный ружейный, пулеметный и артиллерийский огонь противника». Но недолго ему пришлось носить почетную Золотую саблю с надписью «За храбрость». Во время атаки в Галиции 19 января 1915 года Лев Панаев был убит наповал и посмертно стал третьим в семье кавалером ордена Георгия 4-й степени, когда ему еще не исполнилось тридцати трех лет.

6 января 1915 года, за несколько дней до гибели Льва Панаева, к командующему 8-й армией генералу от кавалерии А. А. Брусилову явился младший из Панаевых, лейтенант флота Платон Аркадьевич Панаев. До этого он служил на далеком Амуре, был командиром канонерской лодки «Сибиряк», затем флагманским артиллеристом всей Амурской флотилии. С началом войны прикомандирован к сухопутной армии. По преданию, когда Платон представлялся, ему Брусилов сказал: «Панаевы — героическая семья, чем их больше — тем лучше».

entitled «Advice to the Squadron Commander in Battle», one in a series of other publications on the tactics of cavalry fighting. There he wrote: «A commander whose attack has been blunted while he is alive without a scratch on him is a pathetic sight.» Himself avoiding this ignominy in proof of his theory, Boris Panaev got killed (the only casualty on the Russian side in that engagement) and became one of the first officers decorated posthumously with the Order of St. George.

The second brother perished in Galicia a fortnight later. Staff Captain Gury Panaev saw that one of his hussars had lost his horse and was wounded himself. True to the army esprit de corps, Gury alighted, bandaged the man's wound and seated him in his saddle. After that he went straight back into battle and was shot dead in a cavalry attack. He was also decorated posthumously with the Order of St. George fourth class at the age of thirty-five.

The third brother, Lev Panaev, fought in the same battle on August 29. He was given the Gold St. George Side-Arms for «setting a personal example to the squadron in using cold steel, despite the dugouts in the way and heavy artillery, machine-gun and gun fire opened by the enemy». But he was not destined to carry his gold sword with the «For Gallantry» legend for much longer. On January 19, 1915, taking part in a cavalry attack in Galicia, Lev Panaev was killed outright and became a third posthumous holder of the Order of St. George fourth class in the family. He had been going on thirty-three.

On Janurary 6, 1915, several days before the death of Lev Panaev, the youngest of the brothers, naval Lieutenant Platon Panaev, reported to the Commander of the 8th Army, General of the Cavalry A. A. Brusilov. He had served on the Amur in the Far East, first as captain of the gunboat «Sibiriak», then as flagship artillery officer for the entire Amur flotilla. Since the war he had been attached to the Army. As legend has it, when Platon Panaev was introducing himself, Brusilov remarked: «The Panaevs are a family of heroes; the more of them there are the better».

When news had come of the death of the third brother, Platon Panaev was recalled from

Когда пришло известие о гибели третьего из братьев Панаевых, Льва, Платон Панаев был отозван начальством из действующей армии и зачислен на службу в одно из учреждений морского ведомства в Петрограде. Но «спустя некоторое время лейтенант Панаев подал рапорт об обратном командировании его к действующему флоту. Мать погибших трех сыновей, вдова Панаева, не только не препятствовала намерению сына, но вполне разделяла его желание, находя, что на месте он нужнее, нежели в Петрограде»,— вспоминал современник.

1 апреля 1916 года Платон Панаев отбыл к одной из действующих эскадр. А уже 2 апреля был подписан императорский рескрипт о награждении Веры Николаевны Панаевой Знаком Отличия святой Ольги 2-й степени. Характерно, что в рескрипте, отосланном одновременно с наградой, пожалование правильно названо Знаком Отличия святой Ольги. А в литературе — подписях к многочисленным фотографиям в иллюстрированных изданиях — ошибочно называют орденом.

В мемуарных записках М. К. Лемке «250 дней в царской ставке» несколько строк посвящено этому награждению: «Сегодня же (2 апреля 1916 года.— В. Д.) подписан рескрипт на имя военного министра о даровании матери трех героев, братьев Панаевых, пенсии в 3000 рублей и ордена св. Ольги. Пока «Новое время» не поместило о Панаевых большого фельетона «Поселянина», а Нечволодов не напомнил в своем рапорте об учрежденном и никому не данном ордене Ольги, до тех пор никто не пошевелился, а теперь проснулись... совершенно забыли об ордене, учрежденном именно для матерей героев. А сколько женщин заслужили эту внешне видимую благодарность родины!»

Действительно, сотни медицинских сестер самоотверженно работали в действующей армии и постоянно подвергались опасности быть убитыми. Не одна семья в России, кроме Панаевых, потеряла по три и больше своих сыновей в той войне. Так, в действующей армии сражались три брата Ставских. Николай Ставский, поручик, остановил в сражении отступивший соседний батальон и снова направил его в бой. Там же поручик Ставский был убит пулей в

the army and given a job in one of the Navy offices in Petrograd. But «a short while later Lieutenant Panaev asked to be sent back to the fighting fleet. The mother of the three dead officers, widow Panaeva, did not only decline to stop her last surviving son, but showed complete understanding of his motives, being of the opinion that over there he would do far more good for his country than in Petrograd», recalled a contemporary.

On April 1, 1916, Platon Panaev departed to join one of the squadrons. And the very next day was signed an Imperial Rescript awarding the Badge of Honour of St. Olga second class to Vera Nikolaevna Panaeva. It may be noted in passing that the Rescript correctly names the award as the Badge of Honour, while most of the available sources, particularly in captions to photographs, title it the Order of St. Olga second class.

M. Lemke left the following record of this decoration in his memoirs «250 Days at the Emperor's Headquarters»: «On the same day (April 2, 1916 — V. D.) a rescript was signed with orders to the War Minister to grant the mother of three heroes, the brothers Panaev, a pension of 3,000 rubles and the Order of St. Olga. It had taken a large feature *in Novoe Vremia* on the Panaev family and a report from Nechvolodov to remind the authorities about the once instituted, and apparently forgotten, Order of St. Olga for them to sit up and take notice finally.... To forget an award specifically designed for mothers of heroes! How many women have there been during these three years who deserve this visible manifestation of the country's gratitude!»

Indeed, hundreds of nurses dedicatedly worked in the frontline forces at a constant risk to their life. There must have been scores of Russian families, besides the Panaevs, that had lost three and more of their sons in that war. Thus, there were brothers Stavsky, all three of whom were at the front. Nikolai Stavsky, an army Lieutenant, persuaded a retreating batallion to return to the frontline and join the fighting; in the same battle he was shot in the head and killed. His courage had earned him the gold St. George side-arms awarded posthumously. His brother, Ivan Stavsky, led an attack of two companies in June 1915 and was likewise shot dead. The third brother, Alexander, a civil servant at the

голову, заслужив посмертно Золотое Георгиевское оружие. Его брат, Иван Ставский, в июне 1915 года возглавил атаку двух рот и также был сражен пулей. Третий брат, Александр Ставский, гражданский человек, служивший в министерстве юстиции, добровольно пошел в армию, в лейб-драгуны. В начале декабря 1914 года поручик А. Ставский отправился с десятью всадниками на разведку в тыл противника, провел там пять (!) месяцев и с боем вернулся, заслужив орден Георгия 4-й степени. Позднее он был убит в бою.

Еще более поразительна судьба шестерых братьев Завистовских. Старший из них был убит еще в японскую войну. Николай Завистовский умер в апреле 1916 года, командуя артбригадой.

Тридцатичетырехлетний Михаил оставил жену и двух детей, пошел в военное училище, скрыв, что у него больное сердце, стал офицером и был убит на австрийском фронте. Самый младший, девятнадцатилетний Георгий, заслужил несколько боевых наград, в том числе орден Владимира 4-й степени с мечами и бантом. За последний свой бой был награжден Георгиевским оружием, но, смертельно раненный, скончался в госпитале. Двадцатидвухлетний Всеволод попал в плен, воюя в армии Самсонова в Пруссии, дважды пытался бежать, но неудачно. Старший брат, сорока четырех лет, (к сожалению, его имя неизвестно) с самого начала войны находился на фронте, был ранен, но отказался от демобилизации. Известно лишь, что к февралю 1917 года и он, и его брат Всеволод были живы.

Конечно, не только в первую мировую войну были такие примеры. Широко известна судьба Тучковых в Отечественную войну 1812 года. Нашествие Наполеона встретили в действующей армии четверо братьев. Генералы Н. А. Тучков и А. А. Тучков геройски сражались при Бородине. Один погиб, другой умер от ран. Генерал П. А. Тучков еще до этого, в бою 7 августа при Валутиной горе, был тяжело ранен саблей и штыком и попал в плен. В Россию он вернулся только после взятия русскими Парижа в 1814 году. Четвертый брат С. А. Тучков командовал в этой войне корпусом.

Самые яркие, героические и одновременно

Justice, volunteered for the army to serve with the Emperor's Dragoons. Early in December 1914, Lieutenant A. Stavsky went to make reconnaissance in the enemy rear with a group of ten dragoons; he spent there five (!) months and fought his way back through the enemy positions, for which he was decorated with the Order of St. George fourth class. Later he, too, was killed in action.

The lot of the six brothers Zavistovsky was, if anything, even more remarkable. The eldest had been killed in the war with Japan. Nikolai Zavistovsky died in April 1916, while in command of an artillery brigade. The thirty-four-year-old Mikhail left behind his wife and two children to take a course at a military school; he never told anyone that he had a heart problem, became an officer and got killed at the Austrian front. The youngest, nineteen-year-old Georgi, had been decorated several times, with the Order of St. Vladimir fourth class with the swords and Bow among other awards. His courage in the last battle was marked by the St. George side-arms, but his wound turned out to be fatal and the youth died in hospital. Vsevolod, at twenty-two, was taken prisoner while fighting in General Samsonov's army in Prussia; he made two escape attempts, but both had been foiled. The eldest surviving brother, a man of forty-four (unfortunately his name in unknown), had been in the front from the first days of the war; he was wounded but refused to be discharged. All that is known of him and his brother Vsevolod is that in February 1917 they were alive.

Naturally, the First World War is not unique in providing stories of this kind. The Tuchkov family was the talk of the country at the time of the 1812 War. When Napoleon invaded Russia, four brothers Tuchkov were in the army. Generals N. A. Tuchkov (the eldest) and A. A. Tuchkov (the youngest) fought heroically at the battle of Borodino. The one got killed, the other died later, of multiple wounds. General P. A. Tuchkov had been taken prisoner after receiving terrible sabre and bayonet wounds in the battle of Mount Valutin on August 7, nearly three weeks before his brothers' death. He did not get back to Russia until the taking of Paris by the Russian troops in 1814. The fourth brother, General S. A. Tuchkov, was corps commander in the War.

трагические примеры такого рода дала Великая Отечественная война. Простая русская женщина Анна Савельевна Алексахина, мать десятерых детей, отправила на фронт восьмерых сыновей. Четверо из них не дожили до Победы. И когда 27 октября 1944 года первые четырнадцать советских женщин были удостоены звания «Мать-Героиня», орден с таким названием и с цифрой «1» на оборотной стороне получила Анна Савельевна. Таким же орденом была награждена Епистиния Федоровна Степанова, у которой девять сыновей отдали жизнь и здоровье за Отечество.

Матерям не нужны награды за своих погибших детей. Это мы должны знать и помнить об их тихом и самом трудном из возможных для человека подвиге, не забывать о чем помогут и полученные ими знаки отличия.

But by far the most striking, heroic and at the same time tragic cases of this nature occurred during the Great Patriotic War of 1941—1945. Anna Savelievna Alexakhina, a common Russian woman and mother of ten, had seen her eight sons off to the front. Four of them did not live to see Victory Day. And when on October 27, 1944, the first fourteen Soviet women were titled «Mother Heroine», the Order of that name with the figure «1» on the reverse had been given to Anna Savelievna. The same award was conferred on Epistinia Fedorovna Stepanova whose nine sons had given their lives and health for their country.

But mothers do not want medals for their dead children. This is something we all have to know, never forgetting their quiet and probably the most difficult of humanly possible deeds; and the decorations they wear will serve us as a memory aid.

СОДЕРЖАНИЕ

CONTENTS

Валерий Дуров
Ордена России

Valery Durov
The Orders of Russia

Редакторы **А. В. Быстров, Е. В. Шпикалова.**
Художественный редактор **С. В. Богачев.**

Edited by A. V. Bystrov, E.V. Shpikalova
Art Editor: S. V. Bogachev

Сдано в набор 01.10.92. Подписано в печать 23.02.93. Формат 60×90/₈. Бумага мелованная. Гарнитура Таймс. Печать офсетная. Печ. л. 20. Тираж 30 000 экз. Заказ № 8859. С 19. Газетно-журнальное объединение «Воскресенье».
103051, Москва, Крапивенский пер., д. 3, стр. 2.
Ордена Трудового Красного Знамени ПО «Детская книга» Мининформпечати РФ. 127018, Москва, Сущевский вал, 49.

200.—